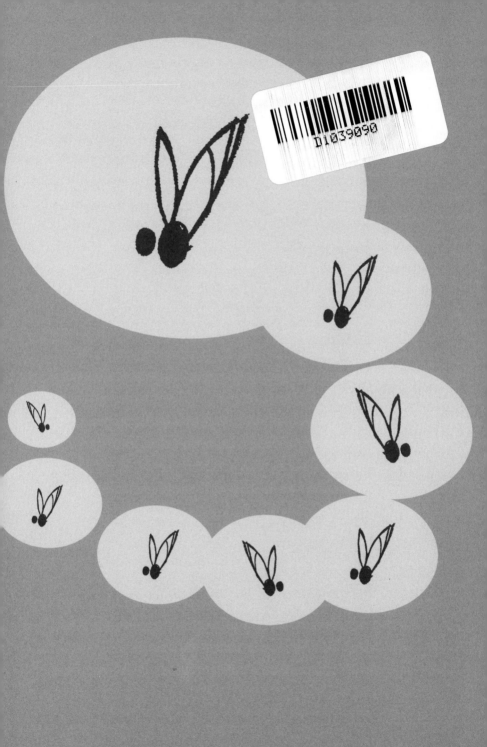

Jacqueline,
merci de m'avoir toujours dit que rien n'est impossible…
à condition d'y croire.

Guylaine et Antoine,
merci d'être les pierres angulaires
qui illuminent mon univers.

Lyne et Réal,
merci, car vous détenez le secret de l'amitié.

Michel, Virginie et Mélanie,
merci, car vous êtes, chez Alice,
les ingrédients essentiels aux potions du professeur.

A.C.

© 2015 Alice Éditions, Bruxelles
info@alice-editions.be
www.alice-editions.be
ISBN 978-2-87426-239-5
EAN 9782874262395
Dépôt légal : D/2015/7641/02
Imprimé à Malte.

Alessandro Cassa

Le professeur
Acarus Dumdell
et les chauves-souris
de Sleeping Stones

ILLUSTRATIONS DE L'AUTEUR

'ALICE
DEUZIO

LE JOURNAL DE MEADOWFIELD

Volume 7041911, édition 14356 du samedi

Voix d'outre-tombe dans le cimetière !

Chères Fieldloviennes et chers Fieldloviens.

Nous profitons de cette édition pour revenir sur les bien étranges événements qui ont eu lieu dans notre petit village et qui, encore une fois, impliquent – mais est-ce surprenant ? – les jumeaux Dumdell.

Dans notre dernière édition (Volume 7041910, édition 14355), nous indiquions que personne dans le village n'avait pu dormir les trois nuits précédentes. Pour ceux qui ignorent encore la cause du vacarme qui perturbe leur sommeil, il faut savoir qu'une mixture aux propriétés douteuses a été renversée dans notre petit cimetière. Ce serait Zacarus Dumdell, propriétaire de l'échoppe de bonbons du village et jumeau du professeur Acarus, qui aurait répandu le contenu de cette potion par mégarde. Le malheureux apportait un breuvage à notre cher vicaire, pour lui permettre de retrouver la voix.

En effet, comme il devait prononcer un discours à la très prestigieuse cérémonie des thés en compagnie de l'illustre Lady Chastewick, notre vicaire avait eu recours à l'aide de son ami. C'est à croire qu'Antonius Barnabus ne savait pas les malheurs que peuvent causer les inventions du professeur Dumdell.

Comme vous le savez maintenant, cette potion, qui devait avoir la propriété de donner la parole à qui l'ingurgiterait, a éclaboussé les chauves-souris du cimetière. Depuis ce désastre, aucun des villageois ne peut plus fermer l'œil, car maintenant qu'elles parlent, ces petites bêtes crient leurs immondes récits à travers le village, le cimetière et les champs. Quelle horreur : nous en ferions tous des cauchemars dignes des plus terrifiantes nuits d'Halloween… si nous pouvions dormir.

Ce n'est pas la première fois que nous subissons les conséquences des essais malencontreux du professeur. Et ce n'est certainement pas la dernière si nous continuons à nous laisser faire sans réagir. Quand bannirons-nous ce dangereux professeur de notre village ? Voilà la question que le journal pose à ses lecteurs, et à laquelle le maire du village, le colonel Fear Kingstoria, devra répondre dès son retour.

D'ailleurs, le journal a appris de source sûre qu'il devrait rentrer des Indes d'ici quelques mois, ce qui ramènera la paix et l'ordre dans notre communauté. Nous sommes épuisés. Il faut que notre maire trouve une solution au plus vite, ou qu'il oblige le professeur à créer un antidote (avec tous les risques que cela comporte... Nous en sommes bien conscients). Il faut que le calme revienne dans notre paisible village. À tout prix !

Ink Papermore,
Votre humble journaliste.

I.

DES NOUVELLES FRAÎCHES DU VILLAGE

Dans le petit village de Meadowfield, rien n'allait plus. Ni le jour, car les villageois dormaient debout, ni la nuit, car les chauves-souris recommençaient sans cesse leurs contes d'horreur, espérant pouvoir les terminer sans être interrompues. Mais leurs voix stridentes faisaient résonner à des lieux à la ronde, les contes les plus affreux. Il était impossible de ne pas entendre dans les rues, sur la place ou dans les chaumières du village, ces histoires macabres qui provenaient encore et toujours du cimetière :

— Alors la cuisinière de l'infâme Belzébuth, fit cuire vivantes ses victimes dans un doux bouillon de bave de crapaud. Son maître était affamé, car il revenait d'une chasse aux loups-garous…, racontait une chauve-souris.

— Avant de poursuivre avec la légende des harpies, voici un poème ténébreux qui m'a été transmis par une colonie de chauves-souris de Transylvanie. Des consœurs qui habitaient l'une des plus hautes tours du château maudit du comte Dracula…, continuait une autre.

C'était bien la première fois qu'il n'y avait plus d'ambiance festive, de rires, de ballons ou de joie de vivre dans les rues de Meadowfield.

Le capital de sympathie des habitants pour le professeur Dumdell diminuait à vue d'œil et on chuchotait que, dans le sous-sol de l'auberge de Meadowfield, une société secrète venait de naître, mise sur pied par Jim, le cuistot et le tenancier du restaurant de l'auberge. On parlait de plus en plus de la Société secrète des Villageois anti-Potions. Mais chut ! Je ne vous ai rien dit.

Acarus et Zacarus devaient donc trouver rapidement une solution. Mais laquelle ?

II.

LA MENACE DES CHAUVES-SOURIS

Tel que l'écrivait Ink Papermore, depuis des nuits, les chauves-souris continuaient de crier à tue-tête leurs récits horrifiques.

Mais les pauvres petites étaient constamment interrompues. À chaque fois qu'elles se posaient dans un arbre, sur une clôture, sur un toit (ou même sur un villageois endormi) pour recommencer à raconter une fable, des habitants les faisaient fuir. Et, croyez-moi, ils avaient tout essayé : leur lancer des éponges imbibées de beurre à l'ail, leur crier des noms de légumes, chanter des cantiques de Noël, agiter des balais… et même utiliser des tambours, des clochettes et des flûtes. Tout

LE FESTIVAL dE CONTES
dE SLEEPING STONES

avait été tenté pour les effrayer et leur faire comprendre qu'il fallait arrêter. Mais en vain.

Certains avaient même tenté de leur faire entendre raison, mais les chauves-souris ne comprenaient pas pourquoi les humains n'appréciaient pas leur poésie d'horreur.

« Qu'est-ce qui peut bien leur faire peur dans nos récits pittoresques et poétiques ? », se demandaient ces pauvres petites bêtes ailées.

Leur festival de contes allait donc vraisemblablement durer encore des jours et des jours. Aussi longtemps, en fait, qu'elles ne réussiraient pas à raconter l'ensemble de leurs histoires.

À cause de tout cela, Meadowfield n'était plus le village paisible d'autrefois. Poc le hibou ne sortait plus se promener dans les rues du village. Lord Andrew ne voulait plus manger de sardines. Le vicaire se cachait chez lui. La Lady était à bout de nerfs. Mary ne faisait plus de bouquets pour le salon de thé. Quant à Miss Blumcake, la pauvre ne cuisinait presque plus. Ni brioches, ni scones, ni même de petits pains, car sa pâte ne levait plus... Même les roses de Lady Chastewick pâlissaient.

Les villageois, littéralement épuisés par le manque de sommeil, avaient même commencé à faire comme les chauves-souris : dormir le jour. Mais, chaque nuit, l'horrible vacarme reprenait.

De son côté, Zacarus avait tenté de trouver dans son échoppe quelques variétés de bonbons pouvant réveiller les villageois. Mais les habitants du village étaient tellement épuisés qu'ils ne venaient presque plus le voir. Pourtant, il avait préparé tout un assortiment de friandises sur son comptoir d'accueil : grains de café trempés dans la sauce au curry, chocolats à la menthe glacée et au citron, petites sucettes à la lime et à la cannelle, dragées à l'orange et au bacon, et tant d'autres saveurs revigorantes !

De son côté, le pauvre vicaire ne parlait toujours pas et Lady Chastewick pensait sérieusement à annuler la cérémonie des thés, que l'ecclésiastique devait présider dans quelques semaines seulement.

Pourquoi tant de soucis, me direz-vous, pour un simple thé ? Voici ce que la vieille Lady m'avait expliqué dans le pub londonien où je l'avais rencontrée...

Fondée il y a très longtemps par les ancêtres des Barnabus, la cérémonie était l'occasion pour le village d'accueillir des invités et des initiés qui venaient de toute l'Angleterre pour participer à ce grand rassemblement. Au fil du temps, c'était devenu une sorte de tradition à Meadowfield. Une opportunité pour la petite communauté du village de se rassembler pour festoyer et pour prendre un peu de repos. Les notables y étaient habitués et annuler cette cérémonie ne s'était jamais vu. Personne n'aurait donc même jamais osé penser à une chose aussi terrible.

De plus, la tradition devant être respectée, chaque cérémonie ne pouvait être ouverte sans un rituel bien précis (et assez rigolo, je dois l'admettre). Le président d'honneur devait prononcer la formule protocolaire :

« Je déclare, au nom des Fieldloviennes et des Fieldloviens, en mon nom et sur mon honneur, cette cérémonie des thés officiellement ouverte. »

Le président devait ensuite réciter le même texte en plusieurs langues (en espagnol, en français, en italien, en allemand, en créole, en néerlandais, en japonais, puis finalement en latin) avant de boire une première gorgée de thé fumant, tout en tournant trois fois sur lui-même pour saluer la foule. Ainsi il en avait toujours été. Et ainsi il devait en être.

Antonius Barnabus ne pensait plus à rien d'autre qu'à cette cérémonie, oubliant ses tâches quotidiennes et cherchant une solution (qui n'impliquerait pas les jumeaux Dumdell, cette fois). Antonius en revenait toujours à la même conclusion. Sans voix, il ne pouvait faire ce discours d'ouverture. Et sans ce discours, la cérémonie ne pourrait avoir lieu. Que pouvait-il faire ?

VOL DE MOTS

C'est donc pour tenter de se faire pardonner et pour réconforter son amie que le vicaire sortit de sa paisible petite église le mercredi matin, penaud et résigné. Cela faisait plus d'une semaine qu'il avait perdu la voix, et il n'osait plus demander de l'aide, vu le résultat désastreux de la première tentative du professeur. Selon lui, le mieux pour l'instant était de présenter ses excuses à la Lady. Il ne pouvait savoir que son geste allait changer le cours de l'histoire du village !

Il aurait eu tellement de choses à dire. Sa voix lui manquait terriblement et il regrettait d'avoir demandé au professeur Dumdell, par l'intermédiaire de Zacarus, de trouver une solution à son mutisme ! Si Antonius Barnabus avait su, jamais il ne lui aurait écrit. Mais il devait maintenant faire face à la situation.

D'un pas lourd comme l'air du village, en ce mercredi de juillet, il se traîna sur le chemin qui menait au cottage de la Lady et qui passait près du cimetière (redevenu silencieux, en attendant la tombée de la nuit). Antonius était sorti si tôt que le soleil venait à peine de se lever. Et que le journal de Meadowfield n'avait pas encore été livré.

Tout en marchant, ses mains tremblaient, car Antonius portait la lettre qui contenait ses excuses (il ne lui restait plus que cette solution pour se faire comprendre). Notre vicaire marchait donc vers le cottage, longeant la sombre et énigmatique forêt Noire quand un bruissement de feuilles le fit sursauter. Jetant un coup d'œil furtif vers le bois, il ne vit rien. Il eut un frisson en pensant à la légende des druides, bien connue dans la région, mais chassa ces idées lugubres.

Arrivé devant le cottage, il soupira, puis poussa la petite porte pour entrer dans le jardin.

« Habituellement, Lord Andrew viendrait à ma rencontre pour me saluer, et se faire caresser les oreilles. Même lui me tient rancune ! », pensa-t-il.

En effet, aujourd'hui, le vieux chat ne dormait pas sur la terrasse, et personne ne vint accueillir le vicaire.

La Lettre d'Antonius

Trop gêné de la situation qu'il faisait subir à la fière Lady, Antonius n'osa pas frapper à la porte. Il tenta d'apercevoir Mary à travers les rideaux… mais comme ils étaient tirés, il ne pouvait pas voir si elle était réveillée. Il prit encore quelques secondes pour réfléchir et décida de déposer simplement la lettre sur le paillasson de la terrasse. Après un long, très long soupir, il fit demi-tour, ressortit de la propriété en se retournant plusieurs fois et reprit le petit chemin pour rentrer chez lui.

Le cottage de la Lady, entouré d'un jardin de rosiers, de fleurs de lavandes et d'hortensias, était la maison voisine de la résidence du jeune Ink Papermore, l'audacieux journaliste du village. Le hasard fit qu'au moment précis où le vicaire regardait si les rideaux de la Lady étaient ouverts, Ink passait justement devant sa fenêtre, en pyjama rayé, avec un lait chaud (pour tenter de retourner dormir un peu).

— Hum… je trouve fort inopportun que le vicaire rende visite à la Lady aussi tôt. Et que dire de son comportement ! Tout cela est bien étrange…

Sa curiosité en fut instantanément décuplée. Quand le vicaire sortit timidement l'enveloppe de son veston, Ink s'immobilisa derrière les rideaux de sa fenêtre pour l'épier. Et lorsque le vicaire déposa la lettre sur le paillasson devant la porte d'entrée, le journaliste fut envahi d'un incontrôlable désir : celui de savoir ce qu'elle contenait.

— J'ai dans l'idée que quelque chose de bien curieux doit se dérouler entre la Lady et le vicaire. Quelque chose qui serait peut-être en lien direct avec les événements qui nous préoccupent.

Il n'en fallait pas plus pour aiguiser sa curiosité.

Lorsque le vicaire rentra chez lui dans sa vieille église pour prendre son petit déjeuner, soulagé d'avoir laissé un mot à sa confidente et amie, il ne pouvait se douter que la lettre allait tomber entre les mains mal-intentionnées de quelqu'un d'autre… et que l'incident allait changer le cours des événements.

Sous le bosquet de roses

Un journaliste, je ne vous apprends rien, est une personne qui se pose constamment des questions. Et qui, pour obtenir des réponses, pose constamment des questions aux autres, voulant savoir pourquoi, où, quand, avec qui et comment… bref, voulant tout savoir.

Ink avait été apprenti dans un petit journal du Devonshire, au sud-ouest de Londres. Il avait tout de suite démontré des aptitudes pour l'écriture et, surtout, pour découvrir des histoires et des secrets. Comme le ferait un espion. Mais Ink avait un défaut. Un tout petit défaut. Il voyait des histoires et des secrets même là où il n'y en avait pas.

— Le vicaire entre dans son église. Ink, c'est ta chance !

Aussitôt il traversa sur la pointe des pieds le corridor de sa petite maison, vers la porte de service donnant dans la cour arrière. Toujours en pyjama, sur le pas de la porte, il regarda autour de lui et s'assura qu'il n'y avait personne. Il se glissa alors sur le sol entre les buissons de rosiers qui séparaient sa propriété de celle de la Lady. Puis, agilement, il rampa vers l'autre côté du jardin, s'infligeant quelques égratignures. Il déboucha directement dans la roseraie de la Lady.

— Courage… courage, j'y suis presque !

Toujours couché par terre, il s'assura à nouveau qu'il n'y avait personne et rampa de plus belle entre les rosiers, dans la terre et l'humus, faisant fuir au passage une famille de taupes. Il se dirigea lentement et en silence jusqu'au pied de la terrasse, où il fit une pause bien méritée. Sans se relever pour rester dissimulé dans les plantes, il étira alors le bras avec adresse pour attraper la lettre du vicaire. Après quelques contorsions et au prix de nombreux efforts, il réussit à mettre le bout de l'index sur le papier, qu'il fit glisser douloureusement jusqu'à lui. Après quelques tentatives, il tenait l'enveloppe !

Ink étouffa un cri de joie et repartit en sens inverse. Rampant dans la terre humide, à reculons, toujours en pyjama rayé (cette fois couvert de terre), il se glissa de plus belle entre les rosiers, traversa de nouveau les buissons entre les deux propriétés et se précipita dans l'arrière-cour avant de rentrer silencieusement dans sa maison, laissant derrière lui des cailloux, de la terre et des feuilles mortes sur le plancher. Il verrouilla sa porte, se rendit dans son bureau, tira les rideaux pour plus de sûreté et attrapa son coupe-papier. Il pouvait maintenant ouvrir cette lettre sans aucune gêne et surtout sans témoin.

Depuis des mois, Ink en voulait beaucoup au professeur Dumdell : il avait demandé au savant une potion pour faire croître ses courges.

Depuis, ses beaux légumes s'étaient transformés… en clous, anéantissant les chances du jeune journaliste de remporter le prix de la plus grosse courge au concours régional. Aussi s'était-il promis qu'un jour il se vengerait du professeur. Et il se disait que, peut-être, cette lettre le conduirait sur la piste d'Acarus Dumdell. Après tout, c'était l'extinction de voix du vicaire qui était à l'origine des problèmes actuels.

Le destin avait donc voulu que la lettre du vicaire et son message ne tombent pas entre les bonnes mains. Et qu'au moment précis où Ink ouvrait la lettre en catimini chez lui, la Lady ouvrait la porte de son cottage pour faire sortir Lord Andrew qui miaulait à tout rompre, ses petites oreilles fines ayant entendu un bruit de grattement et de doigts sur la terrasse.

Ink avait toujours été chanceux dans ses entreprises quand il s'agissait d'écrire un article. Et, aujourd'hui encore, la chance était avec lui.

Mais que pouvait contenir la lettre du vicaire ? Et, surtout, qu'allait en faire notre jeune journaliste ?

III.

L'ILLUMINATION DU PROFESSEUR

Pour bien comprendre la suite des événements que je vais vous relater, il me faut revenir en arrière d'une nuit. Au mardi soir.

Le professeur travaillait depuis quelques jours sur une délicate potion. Un éclair de génie avait illuminé son esprit suite aux nuisances sonores que subissait Sleeping Stones, et il avait eu l'inspiration de créer une potion de lumière pour illuminer tout le village de Meadowfield. Pas pour d'agréables promenades nocturnes ni pour d'autres sympathiques rituels de ce genre. Non… cette nouvelle potion était sa solution à la potion 2704 qui avait été renversée dans le vieux cimetière et qui causait tant de désordre. Le professeur voulait créer un jour qui ne finirait jamais, et ainsi obliger les chauves-souris à fuir le village et le cimetière. C'est bien connu, les chauves-souris sont des animaux nocturnes. Sans nuit, plus de chauve-souris !

Le professeur errait donc dans son laboratoire secret entre ses ingrédients loufoques et ses formules étranges pour concocter cette nouvelle potion. Ses recherches expliquaient pourquoi il était introuvable depuis l'épisode du cimetière. Il ne voulait qu'une chose : se faire pardonner par son jumeau. Le pauvre Acarus Dumdell était si heureux d'avoir préparé la potion numéro 2704 pour rendre la voix au vicaire. Si heureux de pouvoir enfin prouver qu'il était un grand inventeur de potion. Si heureux de pouvoir rendre service à son frère et au vicaire. Les conséquences inattendues de sa potion lui avaient complètement retourné l'estomac. Encore plus que les dragées aux anchois grillés et à la crème fraîche de la boutique de son frère !

Acarus avait longtemps cherché une solution dans ses vieux manuels d'alchimie et ses grimoires. Il avait décidé de créer la potion 1812 qui devrait illuminer le village d'un doux scintillement perpétuel pour chasser les chauves-souris. Et il y travaillait sans relâche.

Avant de débuter ses nouvelles expériences, Acarus s'était approché de Pistache.

— Brave petite, je te promets que dès que le pauvre Antonius pourra à nouveau parler, et que les villageois pourront enfin dormir, je tenterai de confectionner une potion pour te retransformer en écureuil.

Pistache, bien qu'heureuse que le professeur puisse réaliser son souhait, était tout de même un peu inquiète :

— Vous… vous croyez pouvoir réussir ?

Le professeur lui fit un sourire bienveillant.

— Oh oui, ne t'en fais pas. Je n'ai jamais fait une telle potion, mais je trouverai !

Voilà qui n'avait pas complètement rassuré la petite souris, mais, à partir de ce jour, elle gardait au moins l'espoir de croquer à nouveau dans une noix ou dans une feuille bien verte, avec les siens.

Acarus avait envisagé d'autres solutions qu'il n'avait heureusement pas mises à exécution. Il avait notamment songé à créer une potion pour remonter le temps (la potion numéro 6767). Ainsi, il aurait pu tenir la main de son jumeau et l'aider à traverser le cimetière, en ce fameux soir. Mais Pistache lui fit remarquer qu'il ne pouvait prévoir précisément à quel moment il reviendrait dans le passé... Alors, il avait imaginé une potion (la numéro 0405) pour faire oublier aux villageois que les chauves-souris parlaient. Mais Pistache émit l'hypothèse que les villageois risquaient d'oublier tout, absolument tout. Le professeur Dumdell avait alors poursuivi ses recherches dans son laboratoire. Alors qu'il croyait ne jamais trouver de solution, il mit la main sur une vieille formule dans son grimoire. Une formule toute simple, permettant d'allumer des bougies sans utiliser de feu. Il relut la formule avec intérêt puis s'adressa à Pistache :

— Eurêka ! comme dirait Archimède. Pourquoi n'y ai-je pas pensé avant ? Je vais tout simplement créer une potion pour illuminer tout le village ! Aucune chauve-souris n'osera rester et aucune ne reviendra avant un bon moment !

C'est ainsi qu'il eut cette idée d'enduire le village d'une potion de lumière. Mais le professeur était également aux prises avec un dilemme :

— Devrais-je confectionner de nouveau un peu de potion 2704 pour redonner la voix le plus vite possible au vicaire… ou m'occuper avant tout des chauves-souris ?

Le professeur Dumdell ne parvenait pas à se décider.

En faisant les cent pas dans son laboratoire, il marmonnait des paroles inaudibles, secouant la tête, retirant ses lunettes pour se masser les yeux, puis, repartant de plus belle, réfléchissant toujours à ce qu'il devrait faire.

— Malheur à moi. Ma potion avait bien fonctionné : elle redonnait effectivement la voix… Mais je ne me souviens pas des substitutions que j'y ai apportées ! La prochaine fois, je devrais les noter correctement dans mon petit calepin noir !

Je ne vous apprends rien en vous disant que le professeur avait ce petit, tout petit défaut de toujours modifier les quantités et de toujours interchanger les ingrédients nécessaires à ses potions. S'il devait utiliser des moustaches de chaton, il prenait des poils de vieux chats. Et s'il devait utiliser du poisson frais, il achetait des sardines en conserves. Jamais, au grand jamais, il ne suivait les indications.

Le professeur faisait donc les cent pas entre ses étagères et son armoire à potions. Incapable de se décider. Il regardait ses ingrédients, cherchant une inspiration, et marchait le nez pointé vers les nombreux objets suspendus au plafond de pierre de son laboratoire. À l'instar de son armoire aux ingrédients farfelus, c'était une réelle forêt d'objets hétéroclites, composée de couronnes de ronces, de roses noires, de papiers de toutes les couleurs, de dentelle de mariées, de sacs de jute, de pochettes en toile contenant des poudres exotiques et inconnues, de fromages forts et même de vieux saucissons ! Aux prises avec ses questions, il parlait à voix haute, tout en regardant cette mer d'objets insolites au-dessus de lui.

— Acarus, concentre-toi. La première chose est de faire en sorte que ce vacarme cesse. Tu verras ensuite comment rendre la voix au vicaire ! Après tout, il reste un peu de temps avant la cérémonie. Une chose à la fois... Donc, commençons par la potion 1812.

À ce moment, Pistache eut un terrible pressentiment. Comme si elle pouvait percevoir la série de catastrophes et les réactions en chaîne qui allaient découler de cette potion que le professeur allait répandre sur le cimetière.

À ce point, il serait temps de vous décrire Sleeping Stones.

Le cimetière de Sleeping Stones

Moins sombre que la forêt Noire, mais tout de même enveloppé d'une mystérieuse pénombre perpétuelle, Sleeping Stones n'était pas le lieu le plus coloré du village. Ni le plus lumineux. Sous de vieux arbres tortueux, dont certains étaient morts, tout semblait y être figé et immobile. Même les pierres tombales, disait-on, dormaient dans ce lieu de repos éternel. D'où le nom du cimetière.

Les allées de pierres, déformées par le temps, étaient encombrées, poussiéreuses et recouvertes de plantes et de terre. Il était difficile d'y marcher sans perdre pied. Surtout à ces endroits où des racines couraient sur les pierres. Demandez à Zacarus !

L'ambiance ténébreuse du cimetière avait toujours fait frémir les villageois. Ai-je besoin de vous dire que l'apothicaire n'osait s'y aventurer qu'en de rares, très rares occasions, car les bruits insolites, les froissements d'ailes des chauves-souris et les craquements se mêlaient aux bruits du vent qui sifflait désagréablement dans les arbres dénudés ? Tout cela contribuait à lui donner une atmosphère des plus lugubres.

Nul ne pouvait dire précisément l'âge du cimetière, car les noms et les dates sur les pierres tombales étaient pour la plupart illisibles, couverts de mousses vertes et de moisissures. Certaines inscriptions étaient même écrites dans une langue inconnue des notables.

Marcher là-bas était donc un réel défi, tant à cause du sol raboteux (et personne n'osait se demander pourquoi) que de la pénombre. Quant aux vieux arbres qui bordaient les allées, leurs branches créaient des formes insolites que l'imagination déformait pour en faire des mains, des bras, ou de tristes silhouettes chimériques.

UNE AUTRE POTION INCONGRUE

Inspiré par l'écriture de sa nouvelle formule, et n'écoutant pas les avertissements de la petite souris, le professeur courait de tous les côtés de son laboratoire pour chercher les ingrédients dont il pourrait se servir.

Un peu essoufflé, le joyeux septuagénaire retourna à sa table de travail et relut plusieurs fois la formule pour allumer les bougies. Il ferma son grimoire, prit une plume et du parchemin, et, à la lueur des chandelles, inspiré par cette formule, inventa une nouvelle potion sous les yeux attentifs de Pistache. Une potion luminescente.

Voici, si mes souvenirs sont bons, la fidèle retranscription de cette mixture, que la Lady m'avait faite :

Potion 1812, pour illuminer les ténèbres

Ingrédients :
*1 chopine de soufre blanchi au soleil du solstice
d'hiver ;*

1 ballot d'échinacées fraîches noué à un ballot de
    roseaux ;
1 ballot de branches de houx calcinées ;
1 baril d'huile à lampe de laboratoire de druides ;
1 pot de glu commune ;
3 boules (parfaitement sphériques) de charbon
    refroidi tout un hiver dans un sombre caveau ;
1 fiole noire emplie de rayons de soleil, capturés à
    l'aube du surlendemain de la pleine lune ;
1 chopine de pâte de lucioles ;
1 tasse de poudre à canon broyée par un dinosaure ;
1 tasse de lave en purée.

Préparation :
Dans le noir le plus sombre, piler les ingrédients
secs avec la purée de lave et les rayons de soleil.
Après l'obtention d'une pâte, bien mélanger, cette
fois les yeux fermés, avec le houx et les échinacées.
Le lendemain, faire chauffer sur des tisons, en
remuant pendant trois heures dans le sens inverse
des aiguilles d'une montre. Retirer du feu. Ajouter
goutte à goutte l'huile à lampe. Laisser refroidir.
Réserver. Puis ajouter la glu et la pâte de luciole.
Faire bouillir le mélange et laisser refroidir à nouveau.

Les ingrédients de la potion
LUMINESCENTE

Facultatif :
Laisser reposer sous la lueur de la lune et à l'ombre
d'un chêne mort.

Utilisation :
La mixture doit être appliquée de jour, délicate-
ment, de haut en bas, en trois coups de pinceau
en laine de brebis, de chèvre des montagnes ou
d'alpaga. Veiller à porter des gants et des lunettes
de protection.

Le professeur posa sa plume, retira ses lunettes pour se masser le front qui lui faisait affreusement mal, et relut plusieurs fois sa formule.

Satisfait, il sourit, convaincu d'avoir trouvé une solution. Pistache tenta une dernière fois de le dissuader :

— Professeur, croyez-vous vraiment qu'une telle mixture soit la seule issue ? Êtes-vous certain que cette potion que vous venez d'inventer… fonctionnera cette fois-ci ?

Le professeur semblait plus persuadé que jamais.

— Oui ! Oui ! Cela devrait marcher. Cette fois, je suis sûr d'avoir bien dosé les ingrédients.

À LA POURSUITE DES DINOSAURES

Ce qui est dommage avec la fin de l'époque préhistorique, c'est que les dinosaures ont disparu il y a des millions d'années. Justement, le professeur avait besoin de l'un d'eux et il les trouvait d'ailleurs bien égoïstes d'avoir ainsi disparu, sans même laisser une adresse ou, encore mieux, une fiole contenant un peu de poudre avec une note indiquant : « Pour le professeur Dumdell, avec les compliments du tyrannosaure. »

— Nom d'un chaudron de bergamote ! Où vais-je trouver des dinosaures en Angleterre, en 1901, pour broyer de la poudre à canon ? Ils ont tous disparu depuis longtemps...

Le professeur se gratta la tête et en se questionnant.

— Plus j'y pense, plus je crains de ne pouvoir en trouver si facilement. Ceux qui n'ont pas complètement disparus doivent se trouver dans les musées...

Il claqua des doigts.

— Mais oui, dans un musée !

Acarus se rappelait avoir fait, il y a de nombreuses années, un long voyage en train vers le sud du pays, allant des terres vertes et oubliées de Meadowfield à la ville de Londres pour y visiter un musée. Le Musée d'Histoire naturelle. Le professeur Dumdell se souvenait de l'immense hall d'entrée où il avait découvert son premier squelette (celui d'un immense diplodocus) ainsi que ses cinq premiers mots les plus compliqués : botanique, entomologie, minéralogie, paléontologie et zoologie.

Son seul espoir était ce musée. Mais il n'était pas sorti en plein jour et en public depuis très longtemps. En vérité, depuis qu'il avait donné une potion d'éternité comme présent à sa fiancée, et que la malheureuse Marianne s'était transformée en une bulle de savon. À partir de ce jour, il avait préféré sortir de nuit pour recueillir ses ingrédients. Une façon pour lui d'oublier ce tragique événement. Il savait que, en journée, il aurait cherché en vain, dans le ciel, sa petite bulle. Lui qui avait toujours espoir de la voir réapparaître...

Mais il n'avait pas d'autre choix que de voyager selon l'horaire des trains, et probablement en plein jour ! Après quelques réflexions, il décida que la situation était trop grave, et il entreprit de partir dès le lendemain matin. Il quitta son laboratoire vers le passage secret dans la bibliothèque, mais, après avoir gravi seulement six marches, il s'immobilisa. Il marmonna quelques mots et redescendit tout aussi rapidement vers le laboratoire en appelant la petite souris.

— Pistache, dis-moi, aimerais-tu m'accompagner pour une mission secrète et très délicate ?

Pistache eut un frisson. Loin d'être enthousiasmée par une telle aventure et n'ayant aucune idée de ce que pouvait être un train, une mission ou un musée, le petit rongeur tenta de rester vague.

— Bien sûr, si vous avez besoin de moi, je serais heureuse de vous accompagner. Mais qu'est-ce qu'un écureuil… je veux dire, une souris, pourrait bien faire pour vous aider ?

Tout en lui répondant, le professeur mit dans son sac de voyage quelques objets qu'il devait de prendre avec lui.

— Justement, souris ou écureuil, tu as ce dont je vais avoir besoin. Laisse-moi aller chercher une couverture de laine et un biberon. Deux objets essentiels à la réussite de cette mission. Nous partons pour Londres demain. Rejoins-moi dans la bibliothèque dès l'aube.

Aussitôt, Acarus repartit, laissant Pistache complètement interdite. Elle voulait bien assister le professeur, mais elle se demandait quel lien il y avait entre les dinosaures, un biberon et toutes ces choses dont parlait le professeur.

Le lendemain, quand elle arriva dans la bibliothèque, le professeur Dumdell l'attendait déjà, vêtu d'un long manteau de voyage en toile noire, d'un haut-de-forme et d'un foulard de laine. Il déposa dans le livre creux à l'attention de Zacarus une lettre qui disait :

Cher Zacarus,

Je sais que ma mixture a causé un grand mal.
Mais, bonne nouvelle, j'ai trouvé mieux qu'un antidote : une brillante création.
Grâce à elle, nous serons débarrassés une fois pour toutes des chauves-souris et tu pourras même te promener tranquillement où tu veux. Tu n'auras plus à avoir peur du noir, ni aucun habitant de Meadowfield, d'ailleurs !
Ainsi, je pars pour Londres chercher l'un des ingrédients qu'il me manque. Sois patient, la solution est proche.

Acarus.

P.S. : Je prends quelques biscuits au gingembre (dans ta cachette au fond de la réserve de pommes de terre) pour ce long voyage.

Ai-je besoin de vous dire que lorsque Zacarus allait lire cette lettre, il serait encore plus découragé ? Bien qu'il ne pût pas prévoir les conséquences de cette nouvelle potion, il pouvait certainement imaginer qu'elle causerait d'autres problèmes !

IV.

LES ENQUÊTES INSOLITES
DU JEUNE REPORTER

À l'heure où Acarus Dumdell quittait Meadowfield pour tenter de trouver un dinosaure, Ink était déjà rentré de son aventure dans le jardin de la Lady et avait pris place sur sa chaise de travail. Le jeune homme attrapa son coupe-papier en ivoire et, comble de l'indiscrétion, ouvrit sans gêne la lettre rédigée par le vicaire pour Lady Chastewick, d'une écriture fine, timide et inclinée :

Chère Lady Chastewick,

Je sais que, par ma faute – même si je ne sais comment j'ai perdu la voix –, vous devrez annuler la prochaine cérémonie des thés. Je viens donc vous implorer de ne pas m'en vouloir et de me pardonner. Et cela, au nom de notre amitié et de ce vieux secret qui nous lie et qui concerne les jumeaux Dumdell... Ce mystère que personne ne connaît, mais dont nous portons le souvenir.

Pour me faire pardonner, je voudrais vous suggérer une idée. Il ne faudrait par contre la dire à personne... Je ne peux bien sûr parler et vous savez pourquoi. Mais, je vous en prie, venez me voir.

Amicalement,
Antonius Barnabus.

Ink siffla de surprise entre ses dents, tout en s'adossant à sa chaise de bois.

— Ainsi, j'avais vu juste... il y a bel et bien un secret entre le vicaire et la Lady. Et en plus, un mystère qui implique Acarus et Zacarus ! Je crois qu'il se prépare quelque chose de très mystérieux... Il y a sûrement un code, dans cette lettre ! Je dois absolument écrire un article sur ce que je viens de découvrir. Les habitants doivent en être informés ! Il y a du louche là-dessous !

Et ce faisant, il mit une feuille de papier dans sa machine à écrire et commença à rédiger un article qui allait paraître en primeur dans le journal du lendemain. Ce texte, bien exagéré, comme à l'habitude du journaliste, disait :

LE JOURNAL DE MEADOWFIELD

Volume 7041915, édition 14359 du jeudi

Le mystère du secret dévoilé

Chères Fieldloviennes et chers Fieldloviens.

Suite aux événements qui ont eu lieu à Meadowfield ces derniers temps, votre journal a entrepris de faire une enquête sur ce qui se déroule actuellement sous nos yeux.

En effet, le *Journal de Meadowfield* a appris de source sûre que le vicaire et Lady Chastewick partagent un mystérieux secret, directement lié aux terribles effets des potions incongrues du professeur Acarus Dumdell, et notamment aux propriétés douteuses de celle répandue dans notre cimetière par la faute de son jumeau ! Combien de temps la Lady et le vicaire vont-ils attendre pour informer la population de ce secret ? Quelle est leur implication dans les malheurs causés par le professeur ? Ont-ils quelque chose à voir avec les événements de Sleeping Stones ? Que sait Zacarus Dumdell ? Plus troublant encore... Que préparent en secret ces personnes, qui étaient si respectées de notre communauté ? C'est ce que le journal tente activement de découvrir.

Surveillez bien nos prochaines éditions pour savoir toute la vérité sur le secret qui lie le vicaire et la Lady !

Ink Papermore,

Votre humble journaliste.

Cet article allait sans aucun doute surprendre les habitants, et encore plus la Lady, qui ne sut jamais que le vicaire lui avait écrit une lettre d'excuses et d'explications.

BIBERON, DINOSAURES, ET TRAIN LONDONIEN

Du haut de la tour de Big Ben, au palais de Westminster, sonna la mélodie bien connue qui annonçait quatre heures.

Après un long voyage en train, notre cher professeur venait d'arriver à la gare de King's Cross de Londres. Il descendit sur le quai et fut étourdi par le spectacle qui s'offrait à lui, tellement il y avait de bruit et de mouvement.

Dans la gare, sous une immense arche en dentelle de fonte, de verre et d'acier, des voyageurs couraient après leur train et d'autres arrivaient en traînant leurs malles. Des locomotives sifflaient. Des enfants pleuraient. Tous se bousculaient dans un brouhaha plus insupportable que les chauves-souris de Sleeping Stones ! En plus des centaines de voyageurs accompagnés de leurs bagages, il y avait des cages, des valises, des chariots, des contrôleurs... et bien plus de gens qu'à Meadowfield ! Acarus dut demander son chemin plusieurs fois pour trouver la sortie de la gare. Avec ses tourelles et ses hauts murs, sa façade ressemblait à un gigantesque château !

Ayant peu de temps, le professeur se fit déposer par un taxi près de Hyde Park, un grand espace vert au centre de la ville, qu'il traversa pour atteindre son ultime objectif. Autour de lui, des passants et des chevaux allaient et venaient. Il régnait dans la ville une atmosphère aussi électrisante que dans la gare.

Marchant d'un pas vif, le professeur consulta sa montre. Il avait tout juste le temps de se rendre au Musée d'Histoire naturelle et de revenir prendre son train de retour. Sans même s'arrêter en chemin pour déguster un thé ! Il lui fallait faire vite.

Si aujourd'hui vous marchez sur le pont de Westminster et traversez la Tamise, ou si vous passez devant la tour de Big Ben et empruntez les rues de Londres, vous verrez les façades blanches des édifices et des maisons, de même que des statues et des fleurs. Mais, à l'époque où le professeur se rendit au musée, tout était gris. Avec beaucoup plus de poussière. La pollution lui donna même quelques idées de potions pour tout nettoyer. Des idées que, heureusement pour nous, il n'eut pas le temps de noter.

Le professeur Dumdell marchait maintenant sans regarder devant lui, tout en consultant sa carte pour

PROFESSEUR
DUMdell à LONdrEs

s'orienter, heurtant au passage bon nombre d'honorables Londoniens et de Ladies.

Pendant ce temps, Pistache, attendait l'heure de sa délicate et mystérieuse mission en dormant paisiblement, dissimulée entre un biberon et une couverture de bébé dans le sac de voyage d'Acarus.

C'est ainsi que le professeur arriva sur Exhibition Road et bifurqua à la droite, en direction du Musée d'Histoire naturelle.

L'immense façade de pierres jaunes et grises, plus haute que l'église de Meadowfield, semblait observer le professeur en le jugeant d'ores et déjà pour ce qu'il allait faire. Car son idée, bien que lumineuse pour lui, n'était pas la plus brillante qu'il ait eue. Il s'apprêtait à faire quelque chose d'inadmissible pour la science.

La façade était aussi belle et aussi large qu'une cathédrale. Acarus leva la tête et s'attarda sur les bas-reliefs de plantes, d'animaux et de fossiles, échafaudant des plans dans sa tête. Puis, il se dirigea d'un pas rapide vers le musée.

Comme le professeur s'immobilisait pour reprendre son souffle, Pistache pointa son petit museau pour voir ce qui se passait. Elle fut très impressionnée – elle n'était jamais sortie de Meadowfield – de découvrir une aussi haute construction qui devait bien être, pour elle, cinquante fois plus grande que le manoir des Dumdell !

Très nerveux, le professeur se dirigea vers le hall principal en essayant de prendre un air détendu et naturel, histoire de se fondre parmi les autres visiteurs. Il se pencha vers son sac et fit mine d'y chercher quelque chose. En réalité, il voulait avertir sa compagne de voyage.

— Surtout, petite Pistache, ne te montre pas avant mon signal !

Il y avait beaucoup de bruit dans cet immense hall entouré d'escaliers et d'arches de pierres. Acarus regarda autour de lui, mais, ne trouvant rien pour lui indiquer où se diriger, il avança vers un homme à la moustache rousse, épaisse comme une large brosse à tapis, debout près d'un squelette de diplodocus qui trônait au centre du hall. L'homme était habillé d'un uniforme de gardien et portait à la ceinture un trousseau de dizaines de clés. Il saluait les visiteurs, en s'assurant que tout était sous contrôle dans le musée. Le professeur Dumdell arriva derrière lui et lui tapa gentiment sur l'épaule.

— Pardonnez-moi, mon brave ?

L'homme se retourna avec un sourire, levant sa casquette et dévoilant un crâne dégarni, rond comme un œuf.

— Bienvenue au Musée, Monsieur. Comment puis-je vous aider ?

Le professeur tenta de prendre un air désinvolte.

— Je voudrais savoir… ce n'est pas pour moi, bien évidemment, mais si nous voulions emprunter, oups, je veux dire, visiter… les dinosaures, dans quelle direction devrions-nous aller ?

Le gardien regarda le professeur Dumdell avec curiosité.

— Vous voulez voir les squelettes des dinosaures ? Ils sont à votre gauche au rez-de-chaussée. Dans l'aile ouest. Mais le musée ferme ses portes dans quelques minutes ; vous devriez plutôt revenir un autre jour.

Acarus qui ne voulait à aucun prix que l'on sache pourquoi il était là, et encore moins que le gardien devine ce qu'il s'apprêtait à faire aux os des dinosaures du musée, voulut brouiller les pistes.

— Merci, merci, mais ce n'est pas pour moi, non ! Moi, je ne veux pas voir les dinosaures… Non ! Moi, je veux voir les minéraux et les poissons. Oui, les poissons ! J'aime bien les poissons ! Et ce n'est pas très long de voir des poissons. C'est tout petit, un poisson !

Le gardien dévisagea l'énergumène et, finalement, le salua avant de se détourner pour répondre à deux jeunes femmes qui attendaient de lui poser une question à leur tour.

Acarus en profita pour tourner les talons et, lorsqu'il fut certain que le gardien ne le voyait pas, il se dirigea tout droit dans l'aile ouest. Il ne lui restait que peu de temps.

Les salles étaient sombres et, surtout, beaucoup plus silencieuses que le hall. Acarus chercha donc une salle où aucun visiteur ne se promenait, car il lui fallait faire très attention. Le professeur fit semblant de lire quelques panneaux et, dès qu'il en eut l'opportunité, se faufila derrière une large colonne. Ainsi dissimulé aux regards des visiteurs, il ouvrit son sac. Il était temps pour lui de révéler son audacieux plan à Pistache :

— Nous y voilà, tu peux sortir. Nous allons attendre que le musée soit presque fermé. Ils vont faire sortir les visiteurs et ce sera alors à nous de jouer. Nous n'aurons que quelques minutes pour agir. Puis, nous pourrons quitter les lieux sans que personne ne se soit aperçu de rien !

La petite souris regarda autour d'elle, sans comprendre.

— Mais où sommes-nous ?

D'un geste théâtral, Acarus lui désigna les lieux :

— Dans la grande salle des dinosaures.

— Ah ! Et pourquoi, au juste ?

Acarus chuchota :

— Pour les os ! C'est là tout le génie de mon idée.

Même si Pistache était une souris très intelligente, elle ne comprenait pas le plan du professeur.

— Mais vous n'allez pas broyer les ingrédients de votre potion ici, tout de même ! Ils ne vous laisseront jamais faire… Vous feriez de la poussière partout et le bruit va attirer les regards… et le gardien ! Pour faire taire le petit rongeur, Acarus sortit le biberon et la couverture de son sac, un énigmatique sourire aux lèvres.

— Justement ! C'est là encore tout le génie de mon idée. Pas ici, mais au laboratoire ! Et ce, grâce au biberon et à la couverture.

Cette seconde remarque fit très peur à Pistache. Et il y avait de quoi…

— Laisse-moi t'expliquer comment nous allons procéder. Nous allons trouver un petit dinosaure. Un tout petit. Et nous allons l'emprunter. Je vais l'apporter avec moi au village, broyer les ingrédients à l'aide de ses pattes, puis le rapporter ! Personne ne remarquera rien. Et les scientifiques non plus !

La petite souris n'en croyait pas ses oreilles.

— Quoi ! Vous n'y pensez pas ? Vous ne pouvez pas faire une chose pareille !

Mais le professeur pensait aux pauvres villageois de Meadowfield plutôt qu'à la science ou à la paléontologie. Et il n'écoutait plus la petite souris. Il cherchait plutôt le bon spécimen à rapporter. Il regarda le premier… un squelette tout mince, mais haut de deux étages.

— Non. Il est bien trop grand…

Il marcha un peu, et se dirigea vers le second. Beaucoup moins haut… mais gros comme un éléphant.

— Hum… non. Il serait bien trop lourd.

Il en regarda un troisième, derrière lui, très effilé, mais long comme une carriole.

— Nom d'un chaudron de bergamote. Celui-ci est beaucoup trop long !

Acarus commençait à sentir le découragement l'envahir quand, soudain, traversant une seconde salle, ses yeux s'illuminèrent. Tout au fond de cette salle, entre deux immenses colonnes, était présenté un tout petit squelette. Pas plus gros qu'un chien. À peine plus gros qu'un chat.

Je dois faire ici une parenthèse. Les musées sont des lieux forts intéressants et instructifs. Ils sont comme des livres : ils nous racontent une histoire. Et, plutôt que de présenter une photo, ils nous montrent l'objet, le vrai. Mais pour savoir ce qu'est cet objet, il faut lire les panneaux. Ce que le professeur ne fit pas. Et c'est pourtant ce qu'il aurait dû faire. Non pas pour lui, ni pour le musée, mais bien pour les villageois. Car s'il avait pris quelques secondes de plus pour lire le petit écriteau près du squelette, peut-être n'aurait-il pas choisi cette espèce en particulier. Mais, trop pressé de prendre le prochain train, il s'adressa à sa complice.

— C'est à toi. À mon signal, tu vas sauter au sol et aller couper les cordes qui m'empêchent de passer de l'autre côté. Pour m'approcher de ce qui semble être un bébé dinosaure, là-bas, j'ai besoin de tes dents.

Pistache soupira. Une telle chose ne se faisait tout simplement pas ! Tout le monde le savait, même les petits rongeurs. Mais, d'un autre côté, elle n'avait pas le choix ; il fallait bien que le professeur trouve une solution pour faire taire les chauves-souris de Sleeping Stones. Sans quoi, il n'aurait jamais le temps de créer une potion pour la transformer à nouveau en écureuil.

C'est donc à contrecœur que Pistache sauta par terre, qu'elle trottina rapidement et en silence et qu'elle coupa la lourde corde qui empêchait les visiteurs de toucher au petit squelette. À ce moment, le professeur murmura une étrange formule, mit le doigt dans un petit sac enfoui dans la poche de son manteau et tout devint noir. Ses cheveux, ses dents, ses vêtements et sa peau. C'était sa poudre d'obscurité, la même qu'il avait utilisée pour subtiliser quelques larmes au pauvre Lord Andrew, quelque temps auparavant.

Lorsque Pistache se retourna, elle vit que le professeur réapparaissait, tenant entre ses bras une couverture. Il donnait le biberon à quelque chose... Elle ne se souvenait pourtant pas que le professeur ait apporté un bébé avec eux jusqu'à Londres ! C'est à ce moment

Le Musée d'Histoire Naturelle

qu'elle vit que le squelette du bébé dinosaure avait disparu. À sa place avait été déposée une lettre, écrite de la main du professeur et destinée au conservateur du musée pour le rassurer. Cette lettre disait :

Cher Monsieur le Conservateur,

Ne vous inquiétez pas. Nous allons prendre soin de votre squelette de dinosaure. J'en fais la promesse solennelle. J'en ai besoin pour une expérience, mais je vous le rapporte en parfait état, le plus rapidement possible. Aucun mal ne lui sera fait.

Votre dévoué,
Acarus D.

S'il avait pris une toute petite minute, il aurait pu lire que ce squelette n'était pas celui d'un dinosaure. Il aurait pu lire que ces os n'étaient pas très vieux. Et il aurait appris qu'il s'agissait en fait d'un squelette de lézard provenant, non pas de la Préhistoire, mais bien des îles Galápagos. Un lézard moderne, découvert par Charles Darwin ! Mais, une fois de plus, le professeur avait agi dans la précipitation.

Pistache courut vers le professeur et sauta dans le sac au moment où un gardien appelait les visiteurs.

— Attention, attention ! Le Musée d'Histoire naturelle va fermer. Veuillez regagner le hall d'entrée et sortir. Nous serons ouverts dès dix heures demain pour ceux qui veulent revenir. Merci de votre visite. Attention, attention ! Le Musée d'Histoire naturelle va fermer...

Se mêlant à la foule des visiteurs qui sortaient, le professeur Dumdell quitta le musée sans trop se faire remarquer. Bien sûr, l'allure singulière de ce drôle de personnage en fit sourciller plus d'un. Et quelques-uns observèrent avec curiosité ce vieil homme serrant quelque chose entre ses bras : une drôle de forme, emmaillotée dans une couverture de bébé, à laquelle il tentait de donner un biberon ! Plusieurs visiteurs le laissèrent même passer devant lui, croyant qu'il tenait réellement un bébé dans ses bras. Mais ils étaient loin de se douter que cette forme qu'il serrait contre lui était un squelette caché dans une couverture !

Pistache et le professeur repartirent ainsi vers la gare de King's Cross, traversant les quais dans la cohue des départs. Ils grimpèrent dans leur train et eurent à peine le temps de s'asseoir que le convoi repartait de plus belle vers le Nord de l'Angleterre. Ce retour vers Meadowfield fut très éprouvant pour le professeur qui eut peur à plusieurs reprises de dévoiler par mégarde que le drôle de poupon qu'il tenait emmitouflé dans une couverture de laine était un squelette !

La nuit tombait. Assis dans un compartiment vide, le professeur prit quelques instants pour réfléchir aux autres ingrédients de sa potion. Il lui fallait encore trouver du soufre, des échinacées, de l'huile à lampe, de la glu, du houx, du charbon, des rayons de soleil, de la pâte de lucioles et de la lave.

— Hum, tous ces composants semblent faciles à trouver. Quoique je ne sache pas s'il me reste assez d'huile à lampe... Elle ne vient pas des druides, bien sûr. Personne ne sait s'ils ont vraiment existé à Meadowfield... Celle que j'ai devrait faire l'affaire. Sinon, Zacarus aura bien un vieux fond d'huile d'olives. Après tout, de l'huile, c'est de l'huile !

Le voyage de retour permit ainsi au professeur de penser à quelques idées pour récupérer ses ingrédients. Il réfléchit surtout aux procédés de substitution qu'il pourrait mettre en œuvre pour remplacer les ingrédients impossibles à dénicher. Après de longues heures, le professeur et Pistache furent de retour à Meadowfield, épuisés par ce long périple à travers l'Angleterre, mais également soulagés d'avoir réussi leur ambitieuse mission à Londres. En se dirigeant vers le manoir, Acarus entendit les histoires d'horreur du festival de contes. Les chauves-souris faisaient un sérieux vacarme.

— La pleine lune voilée de rouge projetait ses lueurs blafardes et fantomatiques sur les pierres tombales oubliées, grinçait une chauve-souris. Tout était immobile. Quand, soudain, l'une d'elle se mit à remuer dans un crissement d'ongles à vous glacer le sang. On entendit un cri terrifiant ! Puis les loups, dans la forêt, hurlèrent à la mort !

La scène fit sourire le professeur. Malgré la fatigue, il était heureux de sa trouvaille et de la solution qu'il avait imaginée. Et il savait que le festival, si tout se déroulait selon ses plans, prendrait bientôt fin.

V.

LE DUR RÉVEIL
DE LADY CHASTEWICK

Le jeudi matin, Stamp distribua la nouvelle édition du journal, celle qui brodait allégrement sur le contenu de la lettre volée. Quand l'article intitulé « Le mystère du secret dévoilé » fut lu, la nouvelle eut l'effet d'un raz-de-marée.

À la lecture de ce qu'avançait Ink dans son texte, la surprise des habitants de Meadowfield fut totale. Et tout aussi différente que chacun des habitants pouvait l'être. La plus triste des réactions fut certainement celle du vicaire, qui se roula en boule sous ses couvertures de tweed, honteux et gêné d'être la cause de tant de soucis.

— Mais comment ce jeune Ink a-t-il bien pu apprendre l'existence de ce secret, connu seulement de la Lady et de moi ? Je ne comprends pas…

Antonius Barnabus était doublement attristé car, malgré la lettre qu'il avait déposée chez elle, Lady Chastewick ne s'était pas manifestée et n'était pas venue le voir, comme il le lui demandait. Il se disait que la Lady était bien plus courroucée qu'il ne l'avait imaginé.

— C'est décidé. Je reste caché ici et je n'en sors plus. Plus jamais. J'ai eu ma leçon. Et plus jamais je ne goûterai aux friandises de Zacarus !

Mon journal, chère petite !

Dans le cottage fleuri, non loin de l'église du vicaire, Mary, la domestique de la Lady, sortit en bâillant. Elle allait chercher, encore tout endormie qu'elle était, l'exemplaire du journal, déposé par Stamp sur la terrasse.

Les dernières nuits s'étaient avérées fort éprouvantes, comme pour tous les habitants du village.

Elle se pencha douloureusement et prit le journal entre ses mains, pour lire la première page, distraitement et du coin de l'œil. Aussitôt, elle laissa échapper un petit cri à la lecture du premier titre. Droite comme une chandelle, plantée au beau milieu de la terrasse, elle dut lire deux fois l'article en première page pour être bien certaine qu'elle ne faisait pas erreur.

— Ma pauvre maîtresse ! Oh, ma pauvre maîtresse ! Je ne suis au courant de rien de tout cela et je ne comprends pas tout non plus. Mais je suis certaine que les insinuations de ce jeune prétentieux de Ink Papermore sont fausses.

Mary l'Étourdie était devant un dilemme. Il ne fallait surtout pas que sa maîtresse apprenne ce que le journal disait. Elle en aurait le souffle coupé et sa coiffure retomberait sûrement. Ou, pire encore, elle perdrait connaissance, comme cette triste matinée où Mary lui avait appris qu'il ne restait plus de sucre de roses.

Tout en réfléchissant à un plan pour cacher la nouvelle à la Lady, Mary retourna dans le cottage et entra comme tous les matins dans le salon de thé pour préparer la table et servir le petit déjeuner de sa maîtresse. Le journal de Meadowfield sous le bras, elle revenait de la cuisine avec le plateau de thé de sa patronne, réfléchissant toujours à une solution quand, au même moment, Lady Chastewick descendit l'escalier.

— Bien le bonjour, chère petite. J'ai affreusement mal dormi avec le vacarme de ces chauves-souris. C'est une triste journée, aujourd'hui... Je dois écrire à tous nos invités pour les avertir que la cérémonie des thés sera reportée à une date indéterminée. Je ne peux me résigner à tout annuler ! J'ai grandement besoin de thé et de me changer les idées... C'est le journal d'aujourd'hui ? Donnez-le-moi. Je vais le lire en attendant que mon thé infuse.

Mary s'immobilisa. « Pense, Mary. Pense, pense, pense », se dit-elle.

Et Mary fit la première chose qui lui passait par la tête. Elle retourna dans la cuisine, sous le regard surpris de la Lady, emportant le journal avec elle. Elle lui dit :

— Entrez dans votre salon de thé, je vais vous apporter des toasts, ce matin.

La Lady, surprise, regarda Mary quitter la pièce rapidement.

— Mais... mais je ne mange jamais de toasts le matin... Et c'est le journal que je vous demande !

Mary qui était déjà dans la cuisine, entreprit de couper du pain et de le faire griller. Et comme elle était trop nerveuse pour se contrôler, elle coupa trois pains entiers. Qu'elle fit griller. Un peu trop. Calcinant la plus grande majorité des tranches et les rendant immangeables.

Docile, la Lady attendait patiemment dans le salon de thé. Mary revint au bout de quelques minutes avec un immense plateau de toasts, presque tous carbonisés, apportant avec eux une odeur âcre de pain brûlé, qui fit grimacer Lady Chastewick. Mais Mary apportait également le journal. Mary avait choisi, et c'était son plan, leur grand et très lourd plateau en grès pour y déposer les tartines grillées. Mary posa le plateau directement sur le journal. Empêchant ainsi la Lady de le prendre.

— Mary, par tous les pétales de la roseraie de la reine, pourquoi avoir utilisé le plateau de tante Emma, et pourquoi l'avoir déposé sur le journal ? Avec mes rhumatismes, vous savez bien que je ne pourrai jamais le lever !

Mais Mary était déjà repartie vers la cuisine et revenait avec des scones bien chauds. Qui, eux, dégageaient une très agréable odeur de beurre. Lady Chastewick en profita pour demander à nouveau le journal.

— Mary, si vous continuez votre cirque, je vais être tentée de croire que vous me cachez quelque chose ! Le journal, allez !

Mary réfléchit de toutes ses forces. À nouveau, elle fit la première chose qui lui passa par la tête. Elle leva le plateau de tranches de pain grillées, prit le journal et le déposa sur la table. La Lady sortit ses lunettes, et, au même moment, Mary posa le plateau de scones brûlant sur la gazette avant de s'éclipser vers la cuisine, pour aller chercher le thé.

Mary n'avait que des bonnes intentions. Et elle aimait bien la Lady, car elle ne lui faisait jamais de commentaires sur ses étourderies. Elle voulait seulement protéger sa patronne.

Quant à la Lady, elle commençait à sentir sa patience s'atténuer, sans doute en raison de son manque de sommeil. Elle regarda Mary revenir avec le plateau de thé et, froidement, lui dit :

— Chère Mary, je ne trouve plus ce jeu très drôle. Donnez-moi le journal, s'il vous plaît. Tout de suite !

Mary n'avait plus rien à mettre sur le journal. Aussi, quand la Lady tendit une main vers elle en lui ordonnant sur un ton ferme, et sans équivoque, d'y déposer le journal, Mary souleva le plateau et s'exécuta. Elle remit la gazette pliée dans la main de sa patronne, se préparant au pire.

La suite des événements fut rapide. La Lady posa ses lunettes sur son nez. Lord Andrew se roula en boule pour dormir. Mary courut chercher un coussin fleuri. La Lady ouvrit le journal. Lord Andrew bâilla. Mary lança le coussin vers la Lady... Et le coussin atterrit sur les genoux de la Lady au moment où cette dernière tomba évanouie, la tête en avant, après avoir lu l'article.

Mary savait quoi faire en ces circonstances. Elle souleva la tête de la Lady et la réanima avec des bonbons au très fort parfum de roses. Des bonbons spécialement confectionnés par Zacarus, pour les urgences de ce genre !

Ce qui effrayait le plus Mary n'était pas de savoir si la Lady s'était blessée en perdant connaissance. Non. C'était plutôt de savoir quel serait l'état de sa colère à son réveil. Car les Ladies peuvent être aussi cruelles que fleuries ! Et les roses… peuvent avoir des épines !

LA VENGEANCE DES ROSES

Il ne fallut que quelques minutes à la Lady pour reprendre ses esprits et ouvrir les yeux grâce aux bonbons de Zacarus.

Mary referma la petite boîte en acier et aida sa maîtresse à se rasseoir. Elle retira le coussin, lui versa une tasse de thé et, en bonne domestique, attendit les instructions. La Lady, après avoir bu une gorgée de thé noir, se leva et pointa son index crochu et accusateur vers le ciel.

— Ink Papermore, jeune insolent ! Je vous défends de diffuser de telles inepties. Je vais vous montrer, moi, de quel bois se chauffe une Lady.

Complètement hors d'elle, elle prit une seconde tasse de thé, qu'elle but cette fois d'une seule gorgée. Terrorisé, Lord Andrew alla se cacher sous une bergère. Puis, la Lady continua son monologue, sous le regard effrayé de sa domestique :

— Mary, je ne peux vous révéler pourquoi, mais Ink Papermore pourrait causer bien des torts s'il révélait ce secret. Je dois absolument être informée de ce qu'il sait... et surtout, comment il l'a appris. Quel dilemme ! Je ne peux pas le lui demander, car s'il ne sait rien, je le mettrais sur une piste. Non, il doit pourtant y avoir une solution...

La Lady se leva et fit les cent pas en réfléchissant à voix haute.

— Oui, il y aurait peut-être... Non, non, c'est trop risqué... Mais que puis-je faire d'autre ?

Elle s'immobilisa, tremblante de colère.

— Ink Papermore, je vais employer les grands moyens ! Je trouverai une façon de révéler la vérité et de connaître ce que vous savez. Et pour ce faire, je crains ne pas avoir d'autre choix... Je vais de ce pas sommer Zacarus Dumdell de m'aider à réparer la situation, car... car... je...

Ces trop grandes émotions eurent raison de la Lady, qui perdit à nouveau connaissance. À son réveil, toujours grâce aux bonbons à la rose, Mary et Lord Andrew l'observaient avec bienveillance. Elle était cette fois étendue près du canapé, plus faible que jamais.

— Chère petite, je dois vous demander de m'aider. Je suis trop faible pour me rendre au manoir. Mais nous devons agir. La situation est grave. Je vous y envoie et vous répéterez, en mon nom, mes propos à Zacarus Dumdell. Il est le grand ami du vicaire, alors je compte sur lui pour dénouer la situation ! Il doit faire en sorte que la paix et la sérénité reviennent dans notre paisible village. Lui seul pourra m'aider à faire taire ce jeune blanc-bec avant qu'il ne soit trop tard. Il doit aussi parler au professeur Dumdell. Oui, Zacarus saura trouver une solution… Je suis inquiète, Mary, très inquiète !

Mary aimait bien la Lady. Mais elle avait aussi très peur des jumeaux, du cimetière et du manoir.

— Ho, Madame, je crois que si vous attendiez un peu, vous seriez capable d'y aller vous-même et…

Mais la Lady était une Lady. Elle voulait que tout cela cesse au plus vite, car le secret qui la liait au vicaire ne pouvait être révélé au grand jour, sans, disons, quelques précautions…

— Nous n'avons pas une seconde à perdre, ma petite. Courez vite au manoir. Zacarus y est sûrement à l'heure qu'il est. Et transmettez-lui mon message intégralement.

En bonne domestique, Mary capitula et promit à la Lady qu'elle allait livrer son message.

LA RÉPÉTITION

Mary sortit aussitôt du cottage et se rendit, le cœur battant, vers le manoir. Accompagnée de Lord Andrew, qui décida de s'arrêter sur la terrasse pour poursuivre sa sieste. Mary marchait d'un pas rapide, en remuant les lèvres. En fait, elle tentait de se répéter le discours de la Lady pour s'assurer de ne pas oublier un seul mot. Mais, en chemin, elle en oublia tout de même quelques-uns. Et lorsqu'elle traversa le pont du ruisseau de l'Oubli, elle s'arrêta pour reprendre son souffle et se remémorer ce que la Lady lui avait dit.

Terrorisée à l'idée de rencontrer le professeur, Mary sentait ses idées s'embrouiller. Elle se concentra de toutes ses forces et tenta de répéter les paroles de la Lady, s'adressant à un crapaud brunâtre qui faisait sécher sa peau galeuse au soleil, bien assis sur un immense nénuphar.

— Votre excellence… Je veux dire, Monsieur Dumdell. Je suis Mary, la domestique de Lady Chastewick.

Les roseaux du Ruisseau de l'Oubli

Tout en fixant le batracien, elle débita, un flot de paroles qui ressemblait à peu près à ceci :

— Ink Papermore est un éléphant de diffuser de telles poteries. Je vais vous montrer, moi, le bois qui réchauffe une Lady ! Je vais empoigner les grandes mains, mais je ferai la vérité sur toute cette affaire. Vous devez trouver une solution pour faire révéler la vérité, que nous pourrons lire. Oui ! Écrit à la plume sur lui. Car vous ferez en sorte que nous puissions lire la vérité !

Mary respira un bon coup, satisfaite d'elle-même. Elle était très heureuse d'avoir été en mesure de rassembler ses idées et fut convaincue qu'elle saurait répéter ce discours mot pour mot à Zacarus.

DE L'AUTRE CÔTÉ DU RUISSEAU

La veille, le professeur était rentré de son expédition à Londres avec ce qu'il croyait être un squelette de bébé dinosaure. Il avait déposé ses ingrédients dans la pénombre de son laboratoire puis était monté à la cuisine pour se préparer un petit en-cas avant d'entamer la préparation de la potion 1812. Il aurait aimé raconter son exploit du musée à son jumeau, mais il ne trouva Zacarus nulle part dans le manoir.

Il avait décidé ce matin de se mettre à la recherche de certains ingrédients qu'il aurait eu beaucoup de mal à trouver de nuit, et il avait commencé par le plus facile selon lui : un ballot de roseaux.

Le manoir était en effet très près du ruisseau de l'Oubli, aussi Acarus était sorti au petit matin, vers le ruisseau. Il avait longé la forêt Noire et descendait sur la berge quand il avait aperçu, sous le pont, de magnifiques plants ! Il s'y était rendu et arrachait, une par une, les tiges vertes.

Acarus Dumdell était si concentré sur sa cueillette qu'il ne se laissa pas distraire par le bruit de pas sur le pont au-dessus de lui. Et quand il eut terminé sa récolte, il trouva une issue qui le mena sur le sentier en quelques secondes seulement.

Souriante et enthousiaste, Mary se précipitait vers le manoir, et dévalait les quelques marches du pont de bois qui enjambait le ruisseau de l'Oubli. Si rapidement qu'elle heurta le professeur Dumdell qui se dirigeait vers le pont. Elle le bouscula si violemment, qu'il en laissa tomber ses roseaux. Mais Mary ne remarqua pas que les lunettes du professeur étaient tombées, elles aussi.

Oh pardon ! Monsieur Dumdell, je suis maladroite… Laissez-moi vous aider.

Tout en lui prêtant main forte pour ramasser ses roseaux, elle se demanda quelles friandises Zacarus al-

lait bien pouvoir confectionner avec de tels ingrédients.
Mary prenait en effet Acarus pour son jumeau ! Et, sans
crier gare, elle lui livra le message de la Lady, tel qu'elle
l'avait répété devant le crapaud. Puis, elle déposa les
roseaux entre les bras du professeur, et, soulagée d'avoir
accompli sa mission, elle repartit aussitôt en sens inverse, sans même attendre la réponse de son interlocu-
teur !

— Chère Mary, dites à la Lady que je vais lui
concocter une potion très spéciale dès que j'aurai fait la
lumière sur le village. Aussitôt la potion 1812 terminée,
je prépare la potion 1706 pour que se révèle la vérité.

Mais Mary était déjà loin.

— Nom d'un chaudron de bergamote ! Pourquoi
tout est si embrouillé soudainement... Ha ! Mes verres,
j'ai perdu mes verres...

Et cherchant ses lunettes à quatre pattes au pied
des marches menant au pont, Acarus se remémora les
propos nébuleux de Mary au sujet de Ink.

Quelques secondes de plus seulement auraient per-
mis à la jeune femme de comprendre que son message
avait été livré à la mauvaise personne...

VI.

La société secrète des Villageois anti-Potions

Dans les petits villages, les habitants veulent de la tranquillité. Dans les petits villages, les habitants parlent de ce qui ne va pas. Et dans les petits villages, les habitants peuvent parfois s'organiser entre eux pour trouver une solution lorsque rien ne va plus.

Vous le savez, les villageois de Meadowfield passaient des nuits horribles depuis plus d'une semaine. Le manque de sommeil se faisait de plus en plus ressentir et la vie habituellement douce et paisible était devenue tendue et pénible.

Des rencontres clandestines commencèrent à avoir lieu. La Société secrète des Villageois anti-Potions entendait lutter contre les agissements du professeur Dumdell. Le groupe, formé de quelques notables, se réunissait en secret et élaborait les plans les plus farfelus pour empêcher le professeur de produire d'autres désastres. Plusieurs propositions avaient été faites en ce sens lors des dernières réunions : le confiner dans sa bibliothèque, l'envoyer sur la lune, lui faire manger ses barbes à papa à la guimauve, condamner son manoir et jeter la clef dans la Tamise, voler ses grimoires... Le manque de sommeil et les contes d'horreur commençaient à donner des idées étranges aux villageois !

Au lendemain soir de la parution de l'article d'Ink, une silhouette encapuchonnée, longeant discrètement les murs, les clôtures et les bosquets, se dirigea vers le vieux pub, à l'entrée du village. À cette heure tardive, il n'y avait plus personne dans les rues, la cacophonie des chauves-souris allant bientôt reprendre. Il était donc bien particulier de voir quelqu'un à Meadowfield agir de la sorte !

La silhouette jeta un regard furtif par-dessus son épaule et, voyant qu'elle n'était pas suivie, cogna trois fois à la porte de l'auberge. Un bruit sourd se fit entendre de l'autre côté du battant et une petite fenêtre coulissante permit de voir deux yeux interrogateurs scruter l'individu.

— Mot de passe ?

La Société secrète
des Villageois anti-Potions

La silhouette toussa, fouilla dans ses poches puis se gratta le front.

— Zut, j'ai oublié le mot de passe. Jim, c'est moi, Ink !

L'homme derrière la porte resta imperturbable.

— Ink, si tu continues à oublier les mots de passe, nous ne pourrons plus te permettre d'assister aux séances. Après tout, cette société est censée être secrète. Je te donne une dernière chance. Ce soir, le mot de passe est « australopithèque ».

Après quoi, Jim referma la petite fenêtre coulissante.

— Merci Jim, s'empressa d'ajouter Ink.

Et il voulut tourner la poignée, mais la porte était fermée à clef. Il cogna à nouveau trois coups. Le bruit sourd se fit entendre de nouveau et Jim ouvrit la petite fenêtre coulissante.

— Mot de passe ?

— Mais Jim, c'est moi, Ink. Ouvre-moi !

L'homme resta impassible de plus belle.

— Mot de passe ?

Ink soupira.

— Australopithèque.

La porte s'ouvrit aussitôt. Le tenancier de l'auberge et cuistot, Jim Drinkwell, faiblement éclairé par une bougie, fit entrer le journaliste qui se dirigea immédiatement vers le sous-sol. Il descendit les marches de pierre humides, se tenant sur les murs froids pour ne pas trébucher dans cette pénombre malodorante. Puis, il suivit la rumeur des voix qu'il entendait et qui provenaient d'une grande pièce devant lui. Lorsqu'il entra, les huit autres membres étaient arrivés. On y voyait notamment le vieux Stamp, et Miss Blumcake qui avait préparé des brioches pour toute l'assemblée.

Contrairement à ce que nous pourrions attendre d'une assemblée secrète, l'ambiance générale était plutôt à la fête.

Jim prit place à l'extrémité d'une grande table de bois, et tous l'y rejoignirent tout en continuant de parler et de rire de plus belle. Il avait beau demandé à chacun de se taire, personne ne l'écoutait. Il se leva, appuyant ses deux mains sur la table, et y alla du plus fort, du plus retentissant :

— VOTRE ATTENTION, S'IL VOUS PLAÎT !

Comme par magie, tous les yeux se tournèrent vers lui. Satisfait, il prit la parole :

— Bonsoir à tous. Je déclare la rencontre de la Société secrète des Villageois anti-Potions officiellement ouverte. Miss Blumcake prendra note de nos discussions durant notre réunion, ce soir encore.

Le vieux facteur leva la main et fixa Jim, puis commença à essuyer ses lorgnons. À contrecœur, l'aubergiste s'adressa à lui, afin d'en finir au plus vite et de commencer la rencontre une fois pour toutes :

— Oui, Stamp, vous avez une question ?

Le vieux facteur remit ses lorgnons.

— Pardon ? Qu'est-ce que vous avez dit ?

Jim poussa un soupir d'exaspération et haussa le ton pour bien se faire entendre.

— Je vous demande si vous avez une question !

Stamp porta la main à son oreille pour mieux entendre.

— Ah ! Non merci. Mais j'ai une question. Quand allons-nous débuter ?

Quelques villageois pouffèrent de rire discrètement. Rapidement, ils reprirent leur sérieux, car ils virent frémir la moustache de Jim, ce qui n'était jamais bon signe. Ce dernier décida d'ignorer le facteur et de poursuivre :

— Je disais donc que la séance est ouverte. Ce soir, nous devons définitivement trouver une solution concrète pour faire promettre au professeur Dumdell de ne jamais plus confectionner de potions. Ses expériences tournent toujours mal, et c'est nous, par la suite, qui en subissons les conséquences.

Tous applaudirent en chœur.

— Avez-vous des idées ? Je vous écoute ! Oui, Miss Blumcake ?

Miss Blumcake rougit un peu et se leva.

— Je n'ai pas de propositions, mais je voulais vous dire que si vous en voulez, il reste des brioches, sur la table, derrière vous.

Les moustaches de Jim frémirent de plus belle. À ce moment, Ink se leva en claquant des doigts.

— Je crois que j'ai une idée. C'est un peu tiré par les cheveux, mais ça pourrait marcher.

Heureux de voir qu'au moins une personne de la Société secrète des Villageois anti-Potions était sérieuse et l'écoutait, Jim sentit son calme revenir. Il s'assit et se tourna vers le jeune journaliste.

— Nous t'écoutons !

Ink poursuivit.

— Vous savez que le professeur ne peut s'empêcher de faire des potions... et qu'il ne peut résister à trouver des solutions aux maux du village. Même avec mes courges, pour le concours, j'avais fait appel à lui, mais...

— Ink, nous connaissons tous l'histoire de tes courges. Veux-tu nous dire à quoi tu as pensé au sujet du professeur ?

— Oh, oui... oui. Ce que je voulais dire est fort simple. Pourquoi ne pas inventer des problèmes ? De faux problèmes, je veux dire.

Tous les yeux se tournèrent vers Ink. Jim parut alors très intéressé.

— Que veux-tu dire, mon garçon ?

Ink parlait maintenant plus vite, très heureux d'avoir capté l'attention de l'assemblée.

— Imaginez que nous publions dans le journal un article sur les propriétés d'une nouvelle découverte... Une nouvelle plante, par exemple. Une plante qui serait très rare, et qui se trouverait le plus loin possible d'ici. Que quelque temps après, un des villageois ait ce même problème, comme par hasard, que seule cette plante pourrait régler. Forcément, le professeur ne pourra résister et il partira vers ce pays lointain pour ramener cette plante... qui n'existe pas ! Nous aurions alors un répit de plusieurs semaines. Que dis-je ? De plusieurs mois !

Jim se releva et s'appuya sur la table. Il semblait fort intéressé par le plan du jeune homme.

— Oui, nous aurions du temps. Suffisamment pour trouver comment lui faire cesser une fois pour toutes de confectionner de nouvelles potions !

Inspiré des propos de Jim, Ink poursuivit :

— Et peut-être même qu'il reviendrait si découragé de son expédition... qu'il serait irrémédiablement décidé à arrêter ses expériences !

Ce fut une salve d'applaudissements qui retentit dans la salle. Jim demanda à nouveau le silence.

— Oui, effectivement c'est une bonne idée. C'est même une excellente idée. Donc, si je comprends bien, tu publieras dans le journal un article sur une fausse découverte, et, comme par hasard, un des citoyens aura besoin, rapidement après, de cette plante ?

Ink se tourna vers Jim.

— Et le professeur, que nous encouragerons dans cette voie, ne pourra résister à la tentation de partir à la recherche de cette plante pour l'inclure dans une de ses potions !

Miss Blumcake se leva à son tour, inquiète.

— Et s'il refuse ? Il ne sort presque jamais du manoir.

Jim, qui commençait à comprendre, regarda Ink.

— Oui, mais nous l'y encouragerons par nos lettres ! Nous devrons tous l'y inciter. Je crois que cela peut marcher. Je demande le vote. Ceux qui sont pour ?

Tous levèrent la main. Sauf Stamp. Jim, résigné, demanda alors, en regardant le vieux facteur :

— Ceux qui sont contre ?

Stamp porta la main à son oreille. Jim répéta plus fort.

— Ceux qui sont contre ?

Stamp regarda son poignet gauche.

— Oui, merci, elle fonctionne très bien, ma montre.

Jim décida de ne pas relever la dernière intervention et de laisser tomber.

Il fut donc convenu que le plan du jeune journaliste serait mis à exécution. Après plusieurs discussions, les membres de l'assemblée décidèrent que la première offensive serait donnée dès le lundi suivant, dans la première édition du journal. Il y serait question d'une plante médicinale rarissime et de ses propriétés inspiratrices.

Quant aux membres de l'assemblée secrète, ils avaient pour mission de rédiger chacun une lettre adressée au professeur pour lui parler de leurs maux… qui, comme par hasard, seraient en lien avec les propriétés de cette plante mystérieuse. Et c'est sur une note d'espoir que la séance fut levée.

La silhouette mystérieuse

Depuis qu'il s'était pris le pied dans la racine, Zacarus se sentait responsable de tous les problèmes du village.

Depuis des jours, il s'accusait personnellement des terribles événements qu'il avait causés par manque de courage. Une autre chose lui minait le moral, la note laissée par Acarus dans le livre creux lui confirmant qu'il travaillait à une autre potion incongrue ! Mais vous connaissez Zacarus : il n'aurait jamais eu le courage de descendre dans les entrailles du manoir, dans le sombre

laboratoire d'Acarus, pour vérifier si son frère y était !
Ou pour le persuader de cesser ce qu'il y préparait.

Tous ces soucis avaient eu pour effet de nuire à la
créativité de confiseur de Zacarus. En effet, il n'avait
plus d'idées pour de nouvelles saveurs de friandises.
Il avait tenté de développer une nouvelle essence de
gommes à mâcher au poulet, mais aucune tentative ne
donnait les résultats attendus. Ses essais étaient systé-
matiquement trop salés, trop sucrés ou d'une couleur
jaunâtre douteuse…

Ainsi, depuis sa mésaventure dans le cimetière de
Sleeping Stones, Zacarus se répétait sans cesse la même
phrase.

— Ha… si seulement je pouvais revenir en arrière
pour empêcher que tout cela se produise.

Pour tenter de retrouver le sourire et d'oublier ses
ennuis, il avait essayé de se changer les idées. Il était
allé marcher sur la colline derrière l'échoppe de bonbons pour voir les champs de fleurs sauvages, avant que
l'automne ne flétrisse leurs couleurs. Il en avait même
profité pour faire un magnifique bouquet pour sa boutique. Il avait lu ses livres préférés et avait cuisiné des
dizaines de variétés de biscuits au gingembre. Mais rien
n'y faisait. Pourquoi ? Parce qu'il ne cessait de chercher
une solution pour aider ses amis. Une solution, cette
fois, qui ne ferait pas appel à son frère !

Le moral du pauvre Zacarus était donc au plus bas et il ressentait un pincement au cœur chaque fois qu'il voyait les villageois dormir le jour et courir après les chauves-souris la nuit. Même ses journées à la boutique n'étaient plus comme avant. Il ne vendait à peu près rien d'autre que des produits à base de café et très peu de villageois venaient le voir. Pourtant, il avait confectionné un nouvel écriteau coloré pour sa boutique :

Nouveau ! Nouveau !
Venez déguster mes nouvelles variétés : café en grain, café moulu, chocolats au café, sucettes au café, dragées au café, confitures au café...

Eh oui, le café était vraisemblablement la seule chose qui semblait avoir un effet sur les villageois, en les aidant à rester éveillés plus longtemps.

Bien sûr, certaines des nouvelles créations de l'apothicaire avaient eu, en contrepartie, des effets secondaires originaux. Ainsi, ses chocolats au café et à la cannelle avaient fait rougir les cheveux de la jeune Éléonor, la fille de Fear Kingstoria, qui passait son été au village avec son cousin Jack. Et ses confitures de baies et de café avaient fait chanter comme des rossignols, plusieurs habitants du village. Certains chantaient maintenant plus fort (et plus juste) que le coq de Rob McCorn, le fermier des terres voisines.

Il avait donc passé tout son week-end dans son échoppe à tenter de créer de nouveaux bonbons. En vain. En rentrant au manoir, le dimanche soir, accompagné comme toujours du mystérieux brouillard qui envahissait le village au coucher du soleil, il avait les idées les plus noires de toute sa vie. Aussi sombres que le cimetière et aussi noires que la forêt qu'il longeait en ce moment pour rentrer chez lui.

Il entendit soudain des bruits de pas. Zacarus se retourna et vit une silhouette derrière lui. La silhouette s'immobilisa, puis se volatilisa aussitôt dans la brume environnante. Croyant avoir aperçu son jumeau, le confiseur rebroussa chemin pour le rejoindre, avant de s'arrêter brusquement.

— Mais… mais ce ne peut être Acarus ! Mon jumeau n'utilise pas de bâton de marche… et sa barbe est pointue, et pas carrée et longue au point de toucher le sol !

Sans rien y comprendre, Zacarus frissonna et pivota sur lui-même. Personne dans le village ne ressemblait à la silhouette qu'il venait de voir. Qui cela pouvait-il être ? Et que faisait-il près de la forêt Noire ?

Il repensa aux légendes courant sur les druides, mais chassa vite ces pensées lugubres de son esprit.

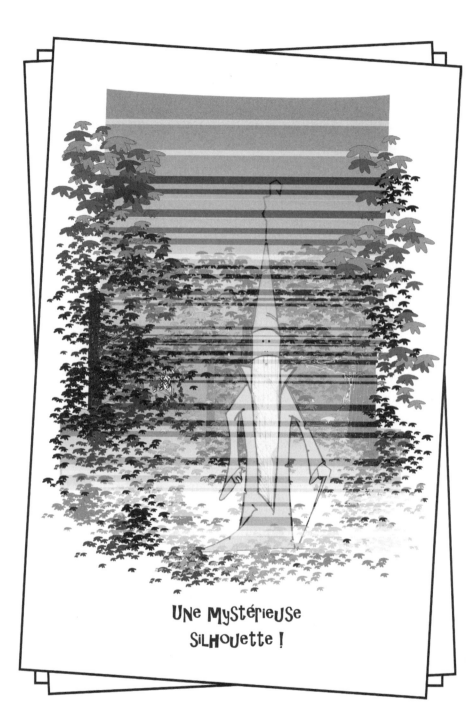

UNE MYSTÉRIEUSE
SILHOUETTE !

Notre apothicaire se précipita vers le manoir et, aussitôt à l'intérieur, il referma la lourde porte d'entrée et la verrouilla à double tour. Se sentant en sécurité chez lui, il se dirigea vers la cuisine.

— Et si je mangeais quelques bouchées de confiture au gruyère ? Cela me calmerait un peu !

Il s'attabla mais, rapidement, ses pensées revinrent à ses problèmes. Il ne voyait pas comment il pourrait confectionner une nouvelle variété de bonbons qui rendrait le sourire à ses amis et à ses voisins... Il ne parvenait plus à trouver d'idées. Épuisé et tourmenté, il n'avait plus d'inspiration pour inventer ses friandises. Sans appétit, il décida de monter se coucher.

Le petit matin du lundi apporta avec lui quelques rayons de soleil, le chant des oiseaux (et de certains villageois) et le journal quotidien. Il faut savoir que c'était un rituel en Angleterre, à cette époque, de lire les nouvelles et les petites annonces au lever du lit. Les habitants de Meadowfield ne faisaient pas exception.

Quelle ne fut pas la surprise des villageois (sauf, bien sûr, pour ceux qui étaient présents à la dernière réunion secrète) de lire qu'une nouvelle plante avait été homologuée par la Société royale d'Horticulture de Londres. Avec le secret de Lady Chastewick et du vicaire, cela faisait beaucoup de nouvelles surprenantes en peu de temps pour ce petit village si tranquille.

Zacarus s'était levé encore plus triste que la veille et c'est avec grande difficulté qu'il s'était versé son habituel verre de jus de citrouille, avant de se servir une double ration de biscuits au gingembre couverts de beurre de café. Il ouvrit machinalement le journal et y jeta un œil distrait en tournant les pages. Soudain, il arrêta de manger. Un grand titre avait retenu toute son attention :

LE JOURNAL DE MEADOWFIELD
Volume 7243931, édition 16377 du lundi

La Caféinomus Rigolatum

Chères Fieldloviennes et chers Fieldloviens.

Notre journal a appris en primeur que la Société royale d'Horticulture londonienne a découvert une plante aux propriétés merveilleuses. La *Caféinomus Rigolatum*.

Cette plante rare, au feuillage rond et tacheté de bleu, est facilement repérable à son odeur de menthe poivrée, d'orange confite et de citron vert. Elle aurait, selon nos sources, la propriété de redonner l'inspiration. Ce serait en fait le nouveau remède à de terribles maux. Utilisée en tisane, elle aurait des effets instantanés et durables. Cette fragile variété aurait été découverte par un botaniste (dont nous devrons taire le nom) lors d'une expédition en Afrique.

La *Caféinomus Rigolatum* trouverait également son utilité dans le traitement des états d'âme et de la tristesse chronique ou passagère. Le *Journal de Meadowfield* vous tiendra informés des autres découvertes de la Société royale.

Ink Papermore,
Votre humble journaliste.

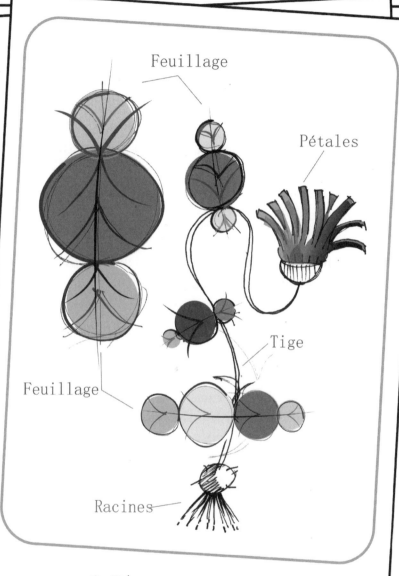

Feuillage

Pétales

Feuillage

Tige

Racines

CAFéiNOMUS RiGoLaTuM

À la lecture de l'article, Zacarus devint euphorique et le relut deux fois de plus. Il croqua rapidement dans un biscuit et termina son jus. Puis, il ouvrit de nouveau le journal et le parcourut une dernière fois.

— Je n'en reviens pas. La solution se trouve là, sous mes yeux. Écrite en caractères d'imprimerie, noir sur blanc !

Il ferma le journal, se leva, et poussa un soupir de soulagement.

— C'est un miracle ! Une plante qui peut redonner l'inspiration. Il me la faut… Il me la faut ! Je pourrai en prendre moi-même et ainsi inventer de nouvelles confiseries qui rendront le sourire aux habitants, malgré leur manque de sommeil… Je pourrai même confectionner des gommes avec ses fleurs, pour aider les villageois à retrouver la joie de vivre. Pour une fois, j'ai trouvé une solution aux problèmes causés par la potion 2704 pour rendre la voix. Sans avoir recours aux potions de mon jumeau ! Tout cela, grâce à une fleur.

C'est ainsi que Zacarus, le journal à la main et l'espoir retrouvé, grimpa l'escalier qui menait à l'étage supérieur du manoir pour regagner sa chambre et préparer ses bagages. Un long, très long voyage l'attendait jusqu'en Afrique, et il devait se mettre en route sans plus tarder.

— Hum, une importante question reste à élucider… Vais-je avoir suffisamment de biscuits au gingembre pour ce long périple ? se demanda-t-il en déposant ses affaires sur son lit.

Tout en faisant ses valises, il fit mentalement le décompte des biscuits qui lui restaient dans ses différentes cachettes et il en comptabilisa cinquante-six. C'était bien peu pour le gourmand qu'il était et la longue route qu'il devait parcourir !

Zacarus sortit son minuscule sac de voyage en toile d'un tiroir de sa table de chevet et observa avec découragement les affaires qu'il avait empilées sur son lit. Il était devant une dangereuse montagne d'effets personnels. Tout au-dessus de la pile, son bonnet de nuit touchait le plafond de sa chambre ! On y retrouvait ses pyjamas de laine, différentes paires de pantalons, ses romans préférés, une encyclopédie, du chocolat, un crochet, une boîte en acier, des allumettes, des chemises, un atlas, une redingote, un parapluie, l'horaire des trains, des bottes de pluie, six oreillers de plumes, une écharpe de laine, des moules à bonbons, quelques boîtes de biscuits au gingembre, des ciseaux, des bottes de marche, un filet à papillons, des bougies, de la corde, quatre édredons de plumes d'oie, vingt-six pains de savon, des chaussettes, dix-huit boîtes de chewing-gums aux marrons et à la tomate et une lampe à l'huile.

Malgré la grande aventure qui l'attendait, une seule chose l'inquiétait :

— Hum. Comment vais-je m'y prendre pour faire entrer tout mon équipement… dans un seul petit sac ?

VII.

LES ÉTOILES FLOTTANTES

Les heures de la journée du lundi défilèrent, puis la nuit tomba. Zacarus n'avait toujours pas bouclé ses bagages.

Avant le festival de contes qui allait reprendre de plus belle d'une minute à l'autre, le manoir était paisible comme à l'ordinaire. Le brouillard s'était levé et les criquets avaient débuté leur symphonie qui allait malheureusement être interrompue par les chauves-souris. Oui, tout était comme d'habitude au manoir des Dumdell. Tout, sauf peut-être le porche, sur lequel commençaient à s'empiler des lettres destinées au professeur Dumdell. Huit lettres dans lesquelles des villageois lui demandaient de concocter une potion qui résoudrait leurs différents problèmes.

Quant au professeur, il travaillait dans les entrailles du manoir, terré dans son laboratoire, à préparer la potion 1812. Il en était à la compilation minutieuse des ingrédients nécessaires.

« Acarus, tu dois t'activer un peu. Tu n'as pour le moment que le ballot de roseaux et le squelette de bébé dinosaure », se dit-il.

Depuis sa rencontre avec Mary, il notait régulièrement dans son calepin en cuir noir quelques idées pour la potion de vérité destinée à Ink. Mais, en cette nuit humide, il préférait concentrer son énergie à la recherche des ingrédients de la potion 1812.

C'est ainsi que, armé de filets de toute sorte et de pots de verre, il sortit par le passage secret donnant dans le jardin, en direction des champs de fleurs sauvages. S'il était passé par le hall d'entrée, peut-être aurait-il vu les lettres qui lui étaient destinées… Cheminant dans l'obscurité en direction des coteaux, le professeur qui s'éloignait du village se préparait à une chasse bien spéciale : une chasse aux lucioles. Dans la pénombre, Acarus marcha doucement à travers les fleurs odorantes, laissant le temps à ses yeux de s'habituer à l'obscurité.

Soudain, le professeur retint son souffle. Il avait devant lui l'un des plus beaux spectacles que pouvait offrir la nature : des milliers de lucioles volant délicatement dans la nuit. C'était comme si des étoiles ambrées et scintillantes étaient descendues entre ciel et terre et flottaient au-dessus de la végétation.

Il avança doucement et fut bientôt entouré de milliers de petits points orangés lumineux et inoffensifs. Les petits insectes se gorgeaient de lumière comme par magie. Le temps d'une fraction de seconde, Acarus aurait pu croire qu'il était au cœur du bal des mille fées, comme dans les histoires de son enfance. Il n'aurait jamais su comment inventer une potion capable d'un tel enchantement. Il était émerveillé.

— Que ce spectacle est beau ! C'est comme si la voie lactée avait voulu toucher les fleurs sauvages de notre bout de campagne. Comme si j'avais autour de moi des étoiles flottantes.

Le professeur Dumdell, ému par tant de beauté, laissa doucement tomber son filet.

— Où trouverais-je le courage de vous attraper, petites lucioles, pour vous broyer en purée ?

Cette nuit-là, le professeur revint bredouille à son laboratoire, avec seulement trois lucioles dans un bocal de verre. Trois petites lucioles, vous en conviendrez, ne sont pas suffisantes pour donner une chopine complète. Il les rapporta d'ailleurs non pas pour les broyer… mais bien pour lui tenir compagnie et l'inspirer.

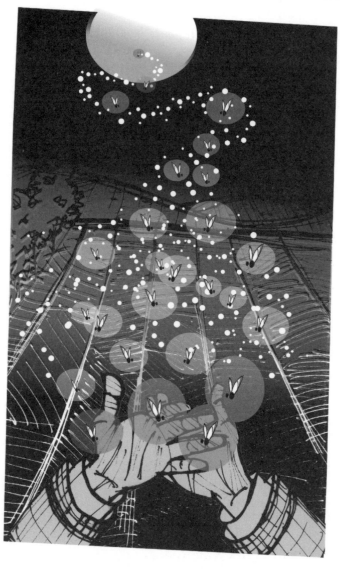

LES étoiLes FLottaNtes

Devant toute cette beauté, il avait longuement réfléchi et en était arrivé à une solution :

— Voyons voir… par quoi remplacer des lucioles ? Qu'est-ce qui est un symbole de lumière et qu'on trouve par milliers… comme mes petites étoiles flottantes ?

Il avait longuement contemplé le champ parsemé de points jaunes et orangés. Scintillants tels de petits soleils. Ce qui lui avait donné une idée.

— Je sais ! Je sais ! Des tournesols… des tournesols, même si ce ne sont que des fleurs, c'est un peu comme le soleil !

Et c'est ainsi qu'à son retour, le professeur monta à la cuisine chercher un bidon d'huile de tournesol, comme substitution à la pâte de lucioles.

Puis, satisfait de l'avancée de ses recherches, il alla se coucher. Demain soir aurait lieu l'étape décisive : la réalisation de la potion.

LA TRAGÉDIE DU BOUILLON DE POULET

Devant sa petite marmite en laiton, remuant un bouillon de poulet qu'il avait décidé de préparer ce matin, Antonius réfléchissait à ses bons souvenirs avec le confiseur. Son ami lui manquait énormément : il ne l'avait plus vu depuis plus de dix jours. Il aurait aimé lui dire que, malgré tout, il ne lui en voulait pas d'avoir perturbé l'ordre et le calme du village… Mais comment lui exprimer ses sentiments sans voix ? Antonius cherchait le courage d'aller voir Zacarus.

Tout en réfléchissant, il se versa une généreuse portion de bouillon dans un grand bol en bois, et prit place à sa petite table. Mais, seul avec ses pensées, il n'avait pas d'appétit.

« Si seulement je pouvais partager ce bouillon », pensa-t-il.

Mais elle était là, l'idée qu'il cherchait ! Il pouvait proposer à son ami Zacarus de partager son repas.

Il se releva aussitôt, ajouta encore un peu de bouillon fumant à son grand bol, prit deux cuillers en argent et sortit de son église en direction du manoir des jumeaux, en faisant très attention de marcher lentement. Pour éviter de trébucher comme Zacarus, ou de se brûler avec le liquide chaud.

Antonius gravit la petite marche qui menait au porche, et le bouillon tangua dangereusement dans le bol. Le vicaire fit alors une pause pour que le liquide se stabilise.

« Ouf, il s'en est fallu de peu… Une marche de plus et je renversais le bouillon ! », pensa-t-il.

Les yeux rivés sur le bol, il fit un autre pas, sûr de lui… et mit le pied, sans les voir, sur les lettres écrites à l'intention du professeur, ces huit missives déposées sur le porche.

Dès que la botte du vicaire fut posée sur les enveloppes, il glissa, perdit pied et renversa son immense bol de bouillon fumant sur les correspondances.

Antonius baissa les yeux et vit avec horreur les lettres couvertes de soupe. Il assista, impuissant, à la dissolution de l'encre : les noms sur les enveloppes étaient maintenant déformés et illisibles.

« Qu'ai-je fait ?! Mais qu'ai-je fait ? », pensa le vicaire. « Je dois absolument trouver une solution… »

Honteux, il regarda autour de lui. Personne ne l'avait vu. Antonius réfléchit quelques secondes. Puis, soudainement inspiré, il se pencha difficilement, saisit les enveloppes toutes dégoulinantes, les mit dans son bol vide et repartit vers son église pour les faire sécher et ensuite les rapporter au manoir incognito.

Le plan du jeune Ink venait malheureusement de tomber à l'eau… ou, plutôt, dans le bouillon de poulet.

En avant toute

Au moment où Antonius revenait chez lui en catimini et refermait la lourde porte de son église, Zacarus sortait du manoir avec son petit sac de voyage.

Quelques minutes de plus et les deux amis se seraient croisés !

Zacarus marchait rapidement et d'un pas décidé. Il traversa le pont de bois du ruisseau de l'Oubli, marcha jusqu'à la place centrale et en fit le tour pour se diriger vers son échoppe de bonbons.

L'apothicaire déverrouilla la serrure de sa sympathique petite boutique, entra rapidement et referma la porte derrière lui. Il déposa son bagage sur le comptoir et prit au passage une dragée à la tomate verte pour se donner un peu de courage. Puis, il alla chercher une vieille carte des contrées voisines, abandonnée sous le comptoir pour préparer une mystérieuse et audacieuse mission…

Préparation de la potion 1812

Ce même jour, à la tombée de la nuit, Acarus, bien reposé, entreprit la délicate préparation de la potion.

Dans le laboratoire secret faiblement éclairé, il étala avec soin sur sa grande table de travail les ingrédients dont il aurait besoin. Il alluma un feu dans l'âtre de pierre et se munit de bocaux, de fioles, d'ustensiles, de chaudrons et d'étranges instruments de toute sorte. Il plongea le bras dans son immense bocal de bonbons puis consulta sa formule en croquant un sucre d'orge à la camomille. En le dégustant, il observa les petites lucioles scintillantes qu'il avait rapportées.

— Non, décidément, je n'aurais jamais eu le courage de les broyer ! Bon… Je crois bien que je peux débuter. Il me semble tout avoir.

Il traversa le laboratoire pour aller récupérer d'autres fioles. Au retour, il s'arrêta pour observer la petite Pistache, endormie et roulée en boule entre deux balles de coton dans l'armoire aux ingrédients farfelus. Il lui gratta l'oreille, et poursuivit son travail.

— J'ai bien de la pâte… En fait c'est de l'huile. Et de tournesol, plutôt que de lucioles. Mais c'est pareil ! Il mit l'huile de tournesol de côté et continua. Ensuite, il décida de remplacer le ballot de branches de houx calcinées par des cendres de vieux papiers.

— Bois calcinés ou cendres. C'est, somme toute, gris et poussiéreux… et ça provient du feu. Je ne vois pas ce que cela change.

Il plongea une petite truelle dans les cendres de son brasier, où il faisait chauffer ses potions, et déposa la poudre grisâtre dans un bocal de verre.

Puis, ne trouvant pas de boules de charbon refroidies tout un hiver, comme le précisait la liste des ingrédients, et ne sachant pas non plus où il trouverait un vieux caveau, il utilisa un très gros morceau de charbon. Une pièce qu'il découpa en petits éclats grossiers.

— Petites boules de charbon ou petits morceaux… c'est tout de même du charbon. Je ne vois pas quelle différence cela pourrait faire ! Tiens, je vais même en mettre neuf morceaux plutôt que trois. Ce devrait être plus efficace.

La formule du professeur mentionnait également une tasse de lave en purée.

— Hum… Devrais-je mettre une tasse de purée de lave… ou une tasse de lave, que je pourrais ensuite réduire en purée ? Je ne voudrais pas prendre trop de risques. Je vais utiliser une tasse de purée de lave. C'est bien plus qu'il ne m'en faut.

Il ajouta la purée avec les autres éléments de sa potion, heureux de ses trouvailles. Il continua à lire la liste des ingrédients.

— Une chopine de soufre blanchi au soleil du solstice d'hiver. C'est ce que j'étais en train d'oublier. Il me semble pourtant que j'en avais quelque part…

Il alla vers une immense armoire et revint avec un tout petit pot.

— Bon, il y a à peine une demi-tasse, et non pas un demi-litre… et le souffre a été blanchi à chaud, et non pas au soleil. Mais c'est tout de même du soufre. C'est du pareil au même !

— Un ballot d'échinacées… Oh, je les ai oubliées ! Je n'ai cueilli que des roseaux.

Le professeur observa les roseaux attentivement, en prit une tige qu'il hacha finement et déposa les copeaux dans une éprouvette remplie d'un liquide orangé et malodorant.

— Hum… oui, les roseaux semblent réagir comme le feraient les échinacées, je crois. Bon, je dois absolument me dépêcher… Je me contenterai des roseaux !

Zacarus ratura ballot d'échinacées sur son parchemin et il déposa les roseaux avec les autres ingrédients.

— Une pincée de poudre à canon piétinée par un dinosaure. Ah, ça, j'ai exactement ce qu'il faut !

Et, croyant qu'il avait sous les yeux un bébé dinosaure, il prit le squelette de lézard et le fit marcher, non sans difficulté, tel un pantin sans fil, sur de la poudre à canon.

Il s'était donné bien du mal pour rapporter ce squelette qui n'était même pas de la bonne espèce, alors que, finalement, comme à son habitude, il était en train de remplacer presque tous les ingrédients de la formule, ou d'en modifier les proportions.

— Nom d'un chaudron de bergamote ! Je savais que j'avais oublié quelque chose... La fiole noire remplie de rayons de soleil capturés à l'aube !

Cherchant une solution, il se mit à faire les cent pas dans son laboratoire, allant et revenant de l'âtre à sa table.

Tout à son problème, il plongea de nouveau la main dans l'immense bocal de bonbons. Qu'avait-il attrapé cette fois ? Une dragée à la cannelle et au piment rouge. Et cela, vous vous en doutez, lui donna une idée.

— Pouah ! Mais c'est fort ! Ça pique ! Ça brûle !

Et il avala une longue gorgée d'un vieux fond de thé noir pour calmer le feu sur sa langue.

— Mais si ça brûle, ça pourrait toujours faire l'affaire...

Il broya ainsi des dizaines de bonbons à la cannelle et aux piments.

Enfin, tous les ingrédients étaient prêts. Le professeur prit une grande inspiration et fit une dernière lecture des étapes de confection. Il était fin prêt à tenter l'expérience délicate de recréer de la lumière, artificiellement, par une potion de son cru. Il mesura, analysa, coupa, pesa, broya, fit bouillir, chauffer et refroidir. Toujours très concentré sur ce qu'il faisait, il prononçait des paroles incompréhensibles, en cette langue que lui seul comprenait, étrange mélange entre le latin et des locutions d'alchimiste.

— *Drans, van och sintilyus cheâr. Siruguleam, oetes luminôsumen. Carfornum in ksich brisk. Viguluom, siguluom, biguluom…*

Il travailla ainsi des heures.

Alors qu'à l'extérieur du manoir naissaient les premières lueurs du jour, Acarus posa le résultat de ses efforts sur sa table. Il était très fatigué. Il avait devant lui des seaux et des seaux remplis d'un liquide qui bouillonnait sans cesse. Une potion couleur miel, à la très forte odeur de cannelle et de soufre, qui dégageait une très faible lumière. Acarus souriait. Il avait terminé sa préparation et il put enfin monter se coucher pour dormir toute la journée, pendant que la potion reposait.

LES VERRES BICOLORES

À la nuit tombée, le professeur redescendit vers la bibliothèque, poussa le livre qui actionnait le mécanisme d'ouverture de la porte secrète vers son laboratoire et disparut par l'escalier de pierre. Il marcha tout droit vers sa table de travail.

— Allons vérifier si ma potion est prête !

Le liquide était redevenu immobile, signifiant qu'il pouvait l'utiliser. Même de loin, la potion brillait d'un éclat incandescent presque insoutenable. Acarus enfila un long sarrau de peintre, prit un vaporisateur et mit devant ses yeux une drôle d'invention de son cru.

En effet, en 1901, les lunettes de soleil telles que nous les connaissons aujourd'hui n'étaient pas encore répandues. Acarus avait donc mis au point un système assez ingénieux. Il avait coupé deux fonds de bouteille en verre coloré et les avait retenus entre eux par des fils de fer. Le tout était noué par un ruban pour permettre à l'ensemble de tenir sur la tête. Et les lunettes colorées du professeur étaient particulières, car l'un des verres était bleu et rond, et l'autre, rouge et carré. En effet, il avait utilisé, pour les confectionner, une vieille

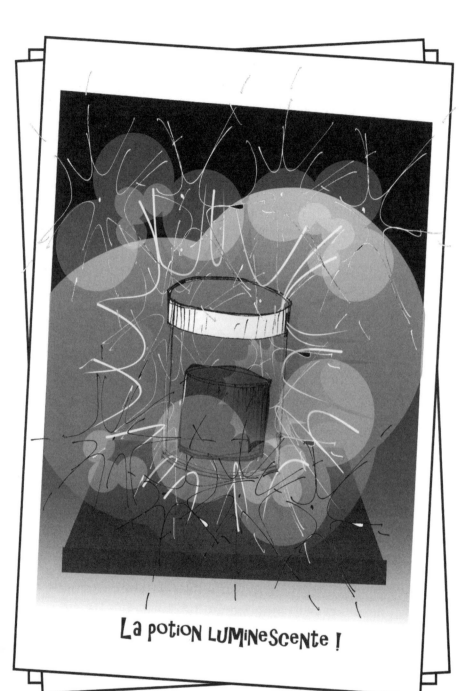

La potion LUMiNeSCeNte !

bouteille de sirop pour la toux et un pot d'onguent ! Il regarda le résultat qu'il tenait entre ses mains.

— Voilà ! Ainsi protégé, je vais éviter de me brûler les yeux avec les éclats de lumière de ma potion quand je l'aspergerai.

Et il versa joyeusement son nouveau mélange dans un grand baril de bois.

Acarus referma hermétiquement le baril avec des clous, des cercles de cuir et du cordage à bateau de toutes les couleurs. Ce contenant était l'une de ses inventions : un pinceau-pression-propulseur. Composé d'un immense baril de bois et d'une pompe à manivelle, il permettait de vaporiser un liquide autour de soi. Il l'avait inventé pour vaporiser les rosiers de la Lady d'une potion anti-limaces, mais il n'avait jamais eu l'occasion de l'utiliser. Le professeur Dumdell avait donc décidé de se servir du pinceau-pression-propulseur pour appliquer la potion 1812 dans le village. Une fois de plus, il ne suivrait pas la formule qui précisait « appliquer en trois coups de pinceau »…

C'est ainsi que, suivi par sa fidèle compagne Pistache – à qui il avait confectionné de minuscules lunettes –, il se rendit par le passage secret du jardin du manoir vers la première partie du village qu'il souhaitait illuminer : Sleeping Stones. Le spectacle était si curieux que les chauves-souris n'osèrent pas s'approcher du professeur et prirent la fuite, se tenant à une respectueuse distance de cet énergumène.

Le professeur poussa son baril de bois, muni de quatre roues de bicyclette de grandeurs différentes. Courageux de nature, il entra, quoique difficilement, au cœur même de Sleeping Stones. Les sons, les ombres et les craquements semblaient plus terrifiants que jamais. Sans se soucier de savoir si c'était le simple fruit de son imagination, le professeur Dumdell positionna son étrange invention au centre du cimetière. Rassemblant ses efforts, il actionna la pompe de toutes ses forces et compta :

— Un, deux, trois… que la lumière soit !

Il arrosa les arbres tortueux un à un puis les pierres tombales, les branches, l'allée de pierres et tout ce qui se trouvait à portée de jet.

Acarus cessa d'asperger le cimetière pour observer le résultat et réfléchit. Il retira même ses lunettes pour juger de l'effet : l'éclat du produit une fois aspergé était très atténué.

— C'est bien, mais c'est trop peu. La lumière générée par le produit, une fois qu'il aura absorbé et accumulé le soleil demain, ne sera pas suffisante pour faire fuir les chauves-souris…

Il augmenta alors la pression du jet et aspergea les alentours d'une quantité trois fois plus grande de liquide. Aussitôt, une douce lueur ambrée, fort agréable, se répandit sur les pierres, les branches et les arbres qu'il venait d'arroser. Tout le cimetière scintillait à présent d'une faible lumière orangée. Les ombres menaçantes disparaissaient, chassées par la lumière. La menace obscure de Sleeping Stones semblait s'évanouir. L'effet était à la fois saisissant et féerique. Non seulement la lumière ferait fuir les chauves-souris, mais, en plus, ainsi artificiellement éclairé, Sleeping Stones n'avait plus rien d'effrayant.

Le cimetière reprenait toutes ses lettres de noblesse. Même les mousses et les lichens, devenus luminescents, donnaient l'effet d'un doux tapis scintillant, cheminant à travers la lande illuminée.

Devant tant de beauté survenue en un lieu de si mauvaise réputation qu'un cimetière, le professeur fut convaincu que sa potion, une fois répandue sur tout le village, aurait les effets escomptés ! Il ne mesurait évidemment pas les répercussions possibles de ses choix et se remit à la tâche.

Cette nuit-là, le professeur répandit en silence sa mixture sur le sentier entre le manoir et le cimetière, sur les plantes près de l'église, sur le pont du ruisseau de l'Oubli, sur la place du village, dans la fontaine, sur les façades des maisons, sur la boutique de bonbons de son frère et sur les rosiers de la Lady. Même l'auberge de

Jim eut droit à sa ration de lumière liquide. Le professeur ne s'arrêta qu'au panneau indicateur de Meadowfield qui représentait les limites du village. Grâce au pinceau-pression-propulseur, la plus grande partie du village fut rapidement couverte d'une douce lumière couleur de miel.

Acarus revenait vers la place quand un grand bruissement d'ailes se fit entendre dans la nuit. Il leva les yeux et vit un troublant spectacle : la lune se voila derrière un étrange nuage noir… Le professeur frissonna avant de réaliser avec joie que cette nuée était composée des quatre-vingt-dix-neuf chauves-souris fuyant la lumière artificielle pour se diriger vers la forêt Noire.

À la grande satisfaction du professeur, les chauves-souris avaient finalement quitté Meadowfield. Sa mission était enfin accomplie ! Satisfait mais épuisé de ce labeur nocturne, le professeur Dumdell revint au manoir et dormit d'un sommeil réparateur. Il rêva qu'il préparait une potion pour redonner à Pistache son apparence d'origine, comme il le lui avait promis.

Le professeur Dumdell venait d'offrir à ses amis et aux notables une nuit de calme ; le silence était revenu à Meadowfield.

VIII.

ET TROP DE LUMIÈRE FUT

Dans la chambre du professeur, un audacieux petit rayon de lumière filtrait jusqu'au bout de son nez. Un filet de lumière qui le chatouilla désagréablement et qui réveilla d'ailleurs Pistache. Acarus pensa à voix haute :

— Mais combien de temps ai-je dormi ? Fait-il jour ?

Il crut d'abord que l'horloge de leur grand-mère, dans le hall, ne fonctionnait plus ! En effet, elle venait de sonner 10 heures du soir, alors que le soleil semblait briller de plein feu.

Encore tout endormi, le professeur ne remarqua pas sur le moment que ses lourds rideaux de velours rouge étaient fermés… Lorsqu'il fut tout à fait réveillé, sa surprise fut totale. Le professeur dut mettre ses verres bicolores pour ne pas être douloureusement ébloui. Sa chambre était phosphorescente et lumineuse. La lumière provenait en fait de l'intérieur ! Courageusement, il se dirigea vers la fenêtre et ouvrit les rideaux. Ce qu'il vit alors le chamboula complètement. Il faisait jour en pleine nuit : les criquets chantaient paisiblement alors que la lune était au ciel. Mais la lumière ne venait pas du soleil : elle provenait du village !

Durant la journée qui suivit l'application de la potion phosphorescente, la mixture s'était gorgée de lumière, au chaud soleil d'été. De trop de lumière. Et maintenant, elle projetait des rayons plus forts que l'astre lui-même. En pleine soirée ! Pour la deuxième fois, le professeur avait réussi à créer une potion efficace, mais peut-être un peu trop.

Bien sûr, tout aurait été presque parfait si quelques heures après que le professeur eut peint une partie du village et du cimetière avec son ingénieux système, il n'y avait pas eu une forte tempête de vent. Tempête qui avait répandu la potion 1812 partout sur les toits, les arbres, les bancs, la girouette, le clocher, les clôtures et le cottage de la Lady. Partout en fait où le professeur n'avait pas aspergé le village de sa potion. Pire encore : comme la potion était liquide, la tempête avait fait pénétrer cette drôle de substance jusque dans les maisons, par la cheminée, les fenêtres entrouvertes et les fentes sous les portes. Partout où le vent pouvait se faufiler pour siffler, il avait apporté avec lui quelques gouttes de potions 1812. Maintenant, c'était tout Meadowfield qui en était enduit, dedans comme dehors, partout, et tout autour !

Il y avait tant de lumière et de reflets, que nul ne pouvait savoir s'il était en plein jour ou en pleine nuit. Et nul n'osait regarder à l'extérieur ou sortir de chez lui, de peur de se brûler les yeux. À l'intérieur, même si la lumière était moins vive, elle empêchait tout de même les villageois de dormir.

Devant ce phénomène, Acarus voulut descendre aussitôt à son laboratoire, et vit avec effroi les objets du manoir scintiller artificiellement autour de lui d'une lumière soutenue. Le pauvre professeur était complètement retourné.

— Mais comment une telle chose a-t-elle pu se produire ? Je dois trouver une explication.

Il actionna le livre creux et la bibliothèque pivota sur elle-même, dévoilant un escalier qui s'enfonçait dans les ténèbres. Le laboratoire semblait avoir échappé à la potion.

Il se mit à réfléchir. La première chose à faire était de découper tous les rubans et toutes les dentelles, puis de tordre tous les fils de fer qu'il pourrait trouver...

Après cette insolite chasse aux objets, il entreprit de trancher les fonds de toutes les bouteilles du manoir. Pour chaque villageois, il fabriqua ainsi une paire de ses étranges lunettes protectrices. Toutes les bouteilles furent utilisées à ce dessein : bouteilles de vin, bouteilles de rhum, bouteilles d'huile, fioles colorées, vaporisateurs à parfum et bouteilles de sirop de toutes sortes. Tel un automate, il enroulait grossièrement des bouts de fil de fer autour des fonds de bouteille et les reliait entre eux de la même façon. Puis, il attachait des rubans colorés à chaque extrémité. Le résultat était pour le moins… surprenant !

Il en assembla ainsi des dizaines et des dizaines qu'il mit dans un grand panier en osier. De crainte d'attirer les soupçons sur lui et que les villageois comprennent qu'il était le responsable de toute cette lumière, il se faufila avec son panier par le cimetière, sous les arbres et les branches tortueuses.

— Oh ! Que de lumière ! J'avais oublié que le cimetière n'était plus aussi sombre… Je vais devoir marcher derrière les pierres tombales si je veux demeurer à l'abri des regards !

Puis, dans ce nouvel environnement illuminé, il alla discrètement déposer le panier devant la porte du vicaire, avec une note :

À porter.

Tout simplement.

Sur le bout du nez !

Il cogna un grand coup et alla se cacher de plus belle dans le cimetière. Après quelques minutes, le vicaire ouvrit la porte avec une main devant les yeux pour se protéger de la lumière, et trébucha sur le panier d'osier, qu'il rentra à l'intérieur sans comprendre.

Quelques heures après, Antonius Barnabus commençait sa distribution. Il déposa des lunettes devant chacune des portes des habitants du village en commençant par le manoir, où il en déposa deux paires... Il ne pouvait se douter que l'inventeur de ces lunettes s'y trouvait justement, pas plus qu'il ne pouvait se douter que Zacarus avait quitté le manoir pour une mystérieuse quête ! Personne ne sut jamais d'où ces lunettes provenaient. Une chose est sûre : elles furent très utiles.

Pendant les jours qui suivirent, les habitants durent se résigner à porter ces étranges lunettes à toute heure. Tant pour leurs déplacements que pour tenter de dormir. Le temps passait mais la lumière ne faiblissait pas. Les poissons se cachaient sous les nénuphars. Les oiseaux clignaient sans cesse des yeux, ce qui les empêchait de voler. Poc, qui ne volait plus depuis longtemps, ne sortait plus de sa cachette, tout comme les autres animaux. Même Lord Andrew se réfugia dans l'un des cartons à chapeau de la Lady et refusa d'en sortir. Seules les plantes profitaient de ce surplus de lumière pour croître un peu plus. Un peu trop… Après quelques jours de lumière intense et grâce aux dernières chaleurs de l'été, les végétaux du village commencèrent à croître de manière extraordinaire et rapide. Peut-être était-ce aussi l'un des effets secondaires de la potion 1812 dont elles avaient été aspergées !

Le festival de conte d'horreur avait certes cessé avec le départ des chauves-souris mais la vie demeurait décidément impossible au village.

La potion oubliée

Acarus s'enferma une fois de plus dans son laboratoire.

— Comment, mais comment a bien pu se produire cette réaction ? L'heure est grave. Quelle potion pourrais-je rapidement inventer pour diminuer les effets de la 1812 ?

Il explorait tous les coins du manoir en quête d'idées et d'ingrédients pour l'aider. C'est ainsi qu'il fit une découverte inopinée.

— Nom d'un chaudron de bergamote ! Qu'est-ce que c'est que ça ?

Ayant plongé difficilement le bras dans un grand coffre de bois où il rangeait des sacs de poudres de différentes couleurs, il venait de toucher un objet lisse et froid. Le professeur s'en saisit pour l'examiner. Il s'agissait d'une petite fiole verte. Acarus la fixa d'un drôle de regard.

C'était, croyez-moi, une étrange petite mixture qu'il avait reçue en cadeau une vingtaine d'années auparavant. Cette potion avait pour effet de faire dormir. La petite potion était magnifique, avec ses reflets bleutés qui devenaient verts, puis orangés. Mais ses ingrédients étaient terriblement insolites et il n'avait jamais eu l'occasion (ni le courage) de tester le mélange. Le professeur posa la bouteille sur sa table et observa longuement la fiole.

— Je t'avais complètement oubliée, toi, depuis toutes ces années… une potion pour faire dormir ! Si je t'avais trouvé avant, les villageois auraient pu se reposer d'un sommeil réparateur ! En fait, ce n'est pas de sommeil dont j'ai besoin, mais de temps pour réparer la situation !

Le professeur regarda de nouveau la petite fiole :

— Acarus, tu es un génie. Pendant que les villageois vont dormir, ils prendront du repos. Les effets de la potion 1812 s'affaibliront certainement, et tu pourras te consacrer à tes autres problèmes à régler.

Cependant, une difficulté demeurait. Il fallait administrer cette potion aux villageois !

L'ENVERS DU DÉCOR

Pistache et le professeur travaillèrent comme des automates à la fabrication d'un audacieux projet. Ils travaillèrent sans arrêt, durant des jours et des nuits. En fait, je devrais dire durant des jours et des jours, tant la lumière était éblouissante. Et un matin – ou était-ce à minuit ? – le projet qu'avait entrepris de confectionner le professeur fut achevé.

Ce n'était ni une nouvelle formule, ni une nouvelle potion. Il avait simplement décoré la vieille salle de bal inutilisée du manoir. Il se doutait bien que personne n'aurait jamais accepté d'ingurgiter une autre de ses potions. Mais un éclair de génie aussi éblouissant que le village l'était à présent avait illuminé l'esprit du professeur. Pour se faire « pardonner », il allait organiser une tea party à laquelle tous seraient conviés. Et c'est justement dans le thé et les boissons qu'il verserait la potion.

L'événement, quoique fort convivial, serait tout de même moins imposant que la cérémonie des thés. Cela

Une autre Mystérieuse
petite potion incongrue

ne manquerait pas de calmer les tensions et de redonner aux villageois un peu de bonne humeur. Chaque maison du village reçut ainsi le carton d'invitation suivant :

Aux habitants de Meadowfield.
Vous êtes conviés par cette missive amicale, et dès maintenant, à venir prendre un rafraîchissement au manoir, en toute simplicité.
Pour le plaisir de se désaltérer entre amis et voisins.

En Angleterre, qui pouvait refuser une bonne tasse de thé ? Et, avec toute cette lumière, qu'il y avait-il de mieux à faire ?

LES VILLAGEOIS AU BOIS DORMANT

Vous vous imaginez bien que la peur d'accepter fut moins forte que la grande curiosité des villageois. Le professeur Acarus Dumdell serait-il présent au manoir ? Une telle invitation ne se refusait pas. Surtout si l'événement permettait de revoir enfin réunis, les jumeaux Dumdell, tout en dégustant la boisson de prédilection des Fieldloviens !

Ce fut donc, au début tout du moins, l'un des plus beaux après-midi que les villageois aient connus ces derniers jours. Compte tenu des circonstances, quelques heures à peine après avoir reçu l'invitation, tous s'étaient présentés au manoir. Et l'immense salle de bal s'était remplie des villageois et des notables de Meadowfield, dont bien sûr le vicaire, Stamp, Lady Chastewick, Jim, Miss Blumcake et même Ink ! Qui lui, bien sûr, voulait profiter de l'occasion pour soutirer de nouvelles informations pour le journal. Tous y étaient. Sauf le maire, toujours en voyage aux Indes pour quelques semaines encore.

Les femmes portaient leurs plus belles robes, leurs plus beaux bijoux et leurs plus incroyables coiffures et chapeaux, piqués de fleurs, de plumes et de perles. Et les hommes étaient fort élégants avec leurs redingotes, leurs gants, leurs foulards, leurs cannes et leurs hauts-de-forme. La seule chose étrange était que tous portaient ces lunettes insolites… même le professeur. Voilà pourquoi les villageois confondirent Acarus et Zacarus, croyant avoir affaire à l'apothicaire de l'échoppe de bonbons, et non pas au professeur. Ils ne se méfièrent de rien, firent la fête et acceptèrent le thé qu'il leur offrait derrière ses immenses lunettes bleu et rouge.

La Lady fit le tour de la salle, impressionnée par le décor.

— Je ne sais pas comment Zacarus s'y est pris… Mais l'ambiance est si festive et le décor si majestueux !

Le professeur avait en effet usé d'ingéniosité et avait réussi à faire pousser des fleurs dans la grande salle de bal. Il avait exposé son projet à Pistache quelques jours auparavant :

— J'ai une idée. Je vais rapatrier toutes les plantes tropicales de notre serre au troisième étage du manoir et je vais créer une véritable forêt équatoriale pour l'événement.

Pistache s'imaginait déjà en demoiselle écureuil, sautant de branche en branche dans cette forêt intérieure.

Acarus avait également installé des pagodes de papier au plafond, sur les tables et sur les murs. Mais, surtout, il avait disposé des coussins un peu partout. Beaucoup, beaucoup de coussins. Un subterfuge élégant qui avait pour réel objectif d'amortir la chute des villageois lorsqu'ils tomberaient endormis.

La salle de bal était impressionnante avec ses hauts murs et ses cadres majestueux, de grandes toiles peintes représentant l'ensemble des ancêtres Dumdell. On en voyait certains à cheval, d'autres avec de drôle d'armures, certains avec des perruques, et d'autres, vêtus de costumes officiels. Parmi toutes ces toiles, on pouvait en apercevoir une plus petite. Elle représentait le portrait d'un gentilhomme : l'honorable Horace Dumdell. Un sympathique personnage, dont je vous parlerai un de ces jours.

UN thé au Manoir

Pour donner une touche festive au décor, le professeur Dumdell avait même construit des chapiteaux avec tous les draps du manoir. Grâce à son génie, c'était un réel jardin intérieur, verdoyant et luxuriant, qui accueillait les villageois. Les Fiedloviens auraient dû se méfier ! Mais ils étaient si épuisés par les derniers événements, et tout leur semblait si beau, qu'ils profitèrent de l'ambiance et de la douceur des lieux pour prendre une pause délicieuse et bien méritée.

Malheureusement, tout n'allait pas se passer comme prévu. Pour une raison insignifiante. Par inadvertance. Très fatigué de servir tant de thé aux invités et accablé par la chaleur étouffante qui régnait au manoir, le professeur avait bu une gorgée de thé pour se désaltérer... Il s'était bien évidemment préparé une tasse de thé sans potion. Une jolie tasse bleue qu'il avait mise de côté et qu'il avait préparée dans son laboratoire... alors qu'il n'avait pas mis ses lunettes de soleil aux verres colorés. Mais, une fois à la lumière du jour et vu à travers ses verres rouge et bleu, le petit récipient n'avait plus la même couleur ! C'est ainsi qu'il confondit sa tasse avec celle d'un invité et but une gorgée de thé trafiqué.

PAROLES DE VICAIRE

Tout se déroulait à merveille dans la salle de bal des Dumdell. Les villageois avaient retrouvé momentanément un peu de leur joie de vivre et plusieurs recommençaient même à sourire et à parler entre eux, comme autrefois. Ink essayait discrètement d'enquêter pour savoir si le professeur était parti en voyage suite à son article dans le journal, mais personne n'avait de nouvelles à ce sujet et il n'osait pas s'adresser directement à celui qu'il prenait pour Zacarus, de peur de lui mettre la puce à l'oreille.

Le vicaire, lui, était en bonne compagnie avec Stamp, Miss Blumcake et même la Lady, qui ne semblait pas lui en vouloir. Ayant bu quelques gorgées de thé, entouré de ses amis, Antonius Barnabus, tout naturellement et sans y penser, prononça ces paroles :

— Ce thé est vraiment délicieux. J'en reprendrais bien une autre tasse…

Ce fut la surprise générale ! Le vicaire venait de parler. Il avait miraculeusement retrouvé la voix.

La Lady fut la première à s'adresser à lui.

— Mon cher Antonius… que vous arrive-t-il ? Par tous les pétales de la roseraie de la Reine ! Comment se fait-il que… que vous parliez soudainement ? C'est inouï !

Le vicaire réalisa alors pourquoi les villageois qui le côtoyaient le dévisageaient ainsi !

— Mais oui, vous avez raison, je… Ma foi, je parle à nouveau ! Ma gorge ne me brûle plus depuis que j'ai bu de ce délicieux thé ! Je lève mon verre, ou plutôt, je lève ma tasse à ce thé merveilleux !

Tous trinquèrent de plus belle. Alors, le visage de la Lady s'illumina.

— Un thé merveilleux ! Votre guérison me donne à penser… Si vous parlez, cher ami, cela veut donc dire que vous pourrez présider notre cérémonie des thés !

Ink, lui, songea aussitôt que si le vicaire avait retrouvé la voix, il allait pouvoir essayer d'orienter la conversation sur ce mystérieux secret qui le faisait brûler de curiosité. Il n'osait en effet pas interroger directement la Lady, qui l'impressionnait très fort, tout journaliste à scandale qu'il était.

Il fut convenu que la cérémonie aurait lieu au début de l'automne, afin d'avoir plus de temps pour les préparatifs. Soulagés de ce dénouement heureux, les villageois portèrent à nouveau un toast à la voix du vicaire, buvant de plus belle. Sans que personne ne comprenne comment ce breuvage avait pu servir d'antidote aux maux du vicaire…

Peut-être la potion de sommeil qu'Acarus avait retrouvée était-elle aussi par hasard un antidote à l'excès de bonbons qui avait provoqué l'extinction de voix du vicaire. Peut-être aussi, les effets des bonbons avaient-ils tout simplement cessé d'agir. Peut-être même le vicaire était-il capable de parler à nouveau depuis plusieurs jours et n'avait pas pensé à essayer. Personne ne le saurait sans doute jamais.

Les notables burent encore plus de thé pour célébrer la bonne nouvelle de la voix retrouvée du vicaire. Même Ink sembla retrouver le sourire ! Le thé était si bon, que tous se servirent une, deux, puis trois tasses, tout en portant des toasts.

— À Meadowfield ! dit Ink.

— À la cérémonie des thés ! dit la Lady.

— À la Reine ! dit Miss Blumcake.

« À ce thé merveilleux préparé par mon ami Zacarus ! » voulut ajouter le vicaire.

Mais il n'en eut pas le temps. Un phénomène des plus étranges se produisit. En quelques secondes à peine, les villageois s'immobilisèrent dans un silence parfait, figés tels des statues de cire.

Un instant plus tard, on entendit le plus grand pouf de l'histoire de Meadowfield. Comme un seul homme, tous les villageois furent foudroyés par la potion et tombèrent littéralement endormis sur les coussins placés par le professeur pour leur éviter de se blesser.

Dans la salle de bal des jumeaux, les villageois de Meadowfield, tout comme le professeur, dormaient maintenant d'un sommeil forcé mais paisible, sur les chaises, entre les plateaux, sur les chapiteaux, sous les balustrades, sur les plantes, sous les tables, sur les topiaires et sur les coussins. Seule ombre au tableau, Acarus n'avait en revanche absolument pas prévu la durée des effets de sa potion. Oui, cela faisait partie des dangers d'une telle expérimentation. Et les villageois dormirent longtemps. Très longtemps. Trop longtemps…

IX.

DE RETOUR DES INDES

Chaque village a un maire qui veille sur lui. Et, à Meadowfield, ce maire était le colonel Fear Kingstoria, un autodidacte qui adorait voyager. Amis des princes, ducs, reines, princesses, chasseurs d'éléphants, maharadjahs et charmeurs de serpents, c'était un personnage courageux, mais entêté. Un aventurier.

C'est en fumant sa pipe, heureux de retrouver les odeurs et la tranquillité de son coin de pays, que le maire revenait d'un long périple aux Indes. De retour de la gare du village voisin (Meadowfield étant trop petit pour bénéficier d'un tel service), il marchait d'un pas léger dans la campagne.

— Que c'est bon de rentrer chez soi ! Je ne suis pas mécontent de retrouver mon village et, surtout, surtout, ses habitants.

Harassé de ses aventures des derniers mois, le colonel allait prendre un repos bien mérité dans son paisible village. Il comptait d'abord passer à l'échoppe de bonbons, car sa réserve de dragées à la réglisse verte et au curry était presque épuisée.

Ensuite, il comptait aller prendre le thé chez Lady Chastewick. Et il prévoyait aussi de vérifier les bêtises commises par le professeur Dumdell en son absence.

Il marchait donc nonchalamment vers les siens, avec la douce pensée des bonbons et du thé, quand il s'arrêta net, en haut de la colline qui menait vers le village. Il resta pétrifié au beau milieu du chemin, horrifié.

— Mon village ! Mais où est passé mon village ?

En effet, le sentier qui descendait vers Meadowfield et la place centrale étaient maintenant couverts de plantes et de hautes herbes ! Il n'y avait plus de village. Seulement un gigantesque champ de fleurs et de plantes sauvages, hautes comme deux étages de maison. Les lierres avaient des proportions de serpents géants et recouvraient les habitations des notables. Les plants d'hortensias, hauts comme des arbres, avaient des grappes de fleurs si lourdes et volumineuses, qu'il devenait périlleux de s'aventurer sous elles. Les roseaux du ruisseau de l'Oubli, dont les tiges s'entrechoquaient, formaient maintenant une forêt aux bruissements inquiétants, et les rosiers de la Lady ressemblaient à une menaçante forteresse d'épines. Quant aux champignons, ils étaient monstrueux tant ils avaient grossi à l'ombre des chrysanthèmes d'automne. Toutes les plantes, qui avaient poussé trop rapidement grâce à un procédé artificiel, étaient disproportionnées. Dans ce monde de chlorophylle, d'inquiétants craquements se faisaient entendre lorsque le vent se levait. Les oiseaux et les insectes auraient profité de ce nouvel environnement, n'eût été la trop forte luminosité qui sévissait toujours.

Le maire se frotta les yeux et regarda de plus belle. Il dut se rendre à l'évidence. Meadowfield avait disparu.

Fear avait été longtemps matelot sur des navires, mouillant dans toutes les eaux du globe. Puis il avait travaillé avec des archéologues et des explorateurs dans les confins les plus reculés de la jungle. Le colonel était curieux, confiant et courageux. Aussi cette forêt de verdure ne lui faisait pas peur. Remis de ses émotions en quelques minutes, il rangea sa pipe, sortit sa machette et entreprit de se frayer un chemin à travers la végétation. Rapidement, il retrouva la trace du sentier qui le guida à travers cette jungle bien singulière jusqu'à Meadowfield. Le maire arrivait à la place centrale quand il fit une rencontre inattendue.

CHEZ LES JUMEAUX

La drôle de mixture 1812 avait des propriétés horticoles insoupçonnées. Si bien que, quelques semaines après la tea party, une forêt de végétaux de toutes sortes avait pris possession du village. Le professeur Acarus Dumdell fut le premier villageois que la forêt vit se réveiller, car il avait bu moins de thé que ses camarades. En effet, les conséquences des deux petites tasses ingurgitées s'estompèrent en trois mois. Acarus s'éveilla donc en octobre 1901, étendu sur l'un des plateaux du service en argent. Autour de lui, les villageois dormaient toujours. On pouvait voir Mary et la Lady respirer paisiblement, alors que Ink et Jim ronflaient à tout rompre. Et le hasard voulut que le professeur se réveille au moment même où le maire revenait de son périple dans les Indes.

Afin de ne réveiller personne (ce qui aurait été de toute façon impossible pour le moment), Acarus sortit vers le hall du manoir sur la pointe des pieds, en contournant les coussins et les villageois.

— Nom d'un chaudron de bergamote, ai-je dormi longtemps ? Il faut absolument que je sache si ma potion 1812 fait toujours effet…

Acarus Dumdell poussa la lourde porte d'entrée du manoir et une brise fraîche entra avec quelques rayons de soleil. Le jour régnait encore et le professeur n'aurait pu dire quelle heure il était, tant la lumière brillait.

Sur le porche, le professeur s'étira un peu, car son dos, ses chevilles et son cou étaient fort endoloris après cette cure de sommeil. Il lui fallut quelques instants pour que ses yeux s'habituent à la lumière ambiante. Les couleurs orangées, rouges et brunâtres des arbres le renseignèrent sur la saison : c'était maintenait l'automne en Angleterre. Quand il baissa les yeux, le spectacle qu'offrait la végétation le glaça d'effroi.

— Est-ce possible ? Tout, absolument tout est envahi de végétation ! Notre village est couvert de lierre ! De hautes herbes ! De plantes sauvages !

Acarus décida de se rendre au village et se fraya un chemin à travers la dense verdure. Il ne reconnaissait plus les alentours et risquait à tout moment de se perdre. La végétation avait tant poussé qu'elle était maintenant plus haute que lui ! Le paysage était complètement transformé et nul n'aurait pu savoir qu'il se trouvait à Meadowfield.

La revanche des végétaux

Il marcha longtemps, péniblement. Selon ses calculs, il devait maintenant être arrivé à la place du village. C'est à ce moment qu'il entendit qu'on l'interpellait :

— Professeur Acarus Dumdell. Est-ce vous ? Est-ce bien vous, en plein jour, dans la rue ? Et que faites-vous avec ces lunettes ridicules ?

Le maire – car c'était bien lui – continua sur le ton de la réprimande :

— Qu'avez-vous donc encore fait ?

Le colonel Kingstoria savait bien que seules les potions du professeur pouvaient être la source de cette situation.

— Je sais que vous êtes derrière toute cette jungle, continua-t-il. Je vous somme de trouver une solution pour rétablir l'ordre !

Le colonel était hors de lui et le professeur Dumdell ne savait quoi répondre à ses accusations. Le maire ne lui laissa de toute façon pas le temps de réagir :

— Je veux que le village ressemble comme deux gouttes d'eau à ce qu'il était il y a six mois. Exécution !

Il était si furieux contre le professeur, que ses moustaches tremblaient et que les nombreuses médailles qui garnissaient sa poitrine s'entrechoquaient sur sa veste.

Acarus leva les épaules.

— Mais… mais que puis-je faire ?

Le maire cria de toutes ses forces, en tapant du pied.

— Ce que vous voulez… Ce que vous voulez ! À vous de trouver une solution ! C'est vous, le professeur ! Inventez-moi ce que vous voulez ! Mais je veux retrouver mon village ! Rompez !

Alors, le professeur repartit vers le manoir, empli de peine et de désespoir, et se perdit deux fois dans la jungle foisonnante. Il réussit finalement à rejoindre sa demeure, où tout le monde dormait encore. Il prit place dans l'une des bergères de la bibliothèque et il réfléchit longuement, avant d'écrire une petite note. Puis, il redescendit dans son laboratoire en se demandant où pouvaient bien être son jumeau et sa fidèle Pistache.

LE CAUCHEMAR DU COLONEL

Au village, le maire mit en action ses qualités d'homme de combat en entreprenant une longue quête : retrouver sa maison. Coupant au passage toutes les hautes herbes qui lui barraient le chemin, il aménagea des tunnels dans la végétation permettant de circuler plus facilement. À la fin de la journée, il avait réussi tant bien que mal à se frayer difficilement un passage vers sa demeure et, épuisé, il alla dormir sans plus attendre. Mais, il ne put quasi pas fermer l'œil de la nuit, la lumière et les lunettes protectrices du professeur, que le vicaire avait déposées devant sa maison, contribuant grandement à son inconfort. Mais son pire cauchemar fut de constater, à son réveil, que tout ce qu'il avait découvert la veille était bien réel !

Le lendemain, au comble de l'exaspération, Fear Kingstoria se rendit au manoir pour parler à Zacarus. Le pauvre maire en avait déjà vu d'autres : des sorciers vaudous, des momies, des serpents, des fantômes et des araignées ; mais rien de tout cela ne l'avait jamais effrayé. Toutefois, lorsqu'il trouva une note épinglée écrite de la main du professeur sur la porte du manoir, il eut la chair de poule :

À qui me lira :

À la demande de notre maire, je pars en quête d'une solution à la pousse incontrôlée des plantes et au sommeil des villageois... un peu trop prolongé. Rassurez-vous, je vais vite rétablir cette situation grâce à l'une des potions que je viens tout juste d'inventer, la potion 04071911. Il me faut d'abord me rendre à Londres pour rapporter un squelette de bébé dinosaure à son propriétaire (une longue histoire que je vous raconterai à mon retour), puis cap au sud, si les vents sont bons, vers Paris. J'irai chercher, *pour ma potion, les grains de café les plus corsés du monde chez un vieil ami.*

Acarus Dumdell

Furieux, le maire arracha la note. Il savait qu'il ne pouvait plus arrêter le professeur. La porte du manoir étant entrouverte, le colonel pénétra dans le hall, à la recherche de Zacarus.

— Zacarus Dumdell, êtes-vous là ? Une conversation sérieuse s'impose… Zacarus ?

Pour seule réponse, il n'entendit que de drôles de ronflements. Fear Kingstoria suivit ces bruits de respiration jusqu'à la salle de bal. Lorsqu'il y entra, il eut un terrible choc ! Il aperçut avec horreur l'ensemble de ses villageois, endormis sur des coussins.

Le départ du professeur laissait le maire avec de nombreuses questions sans réponses… Le village retrouverait-il son état normal ? Combien de temps les villageois allaient-ils encore dormir ? Où était Zacarus ?

Et vous vous demandez sans doute où a disparu Pistache et quelle est cette mystérieuse silhouette que Zacarus a confondue avec son frère. Vous voudriez certainement savoir aussi quel est ce secret que connaissent uniquement la Lady et le vicaire et qui concerne les jumeaux Dumdell.

Et Acarus ? Va-t-il vraiment créer une potion destinée à Ink ? Va-t-il enfin trouver une solution à tous les problèmes qui se succèdent au village, afin que tout rentre dans l'ordre ? Mais, surtout, quels nouveaux malheurs allaient encore devoir subir les habitants de Meadowfield… à cause d'une autre des potions incongrues du professeur Acarus Dumdell ?

FIN DU TOME 2 ET DE LA DEUXIÈME HISTOIRE
(QUI N'EST EN FAIT QUE LE DÉBUT DE LA TROISIÈME)